다음 세대를 생각하는
인문교양 시리즈

아픔에서 더 배우고 성장한다

스트레스를 스트렝스로 바꾸는 방법

이서원 지음

샘터

스트레스는
어떻게 우리를 성장시키는가

바닷가재는 살이 말랑말랑하고 여리다. 이에 비해 껍질은 단단하고 야무지다. 가장 부드러운 속살이 가장 단단한 껍질을 가지고 있다. 이런 바닷가재는 어떻게 성장하는 걸까. 속살이 자라면 딱딱한 껍질이 속살을 아프게 조여온다. 그때 바닷가재는 바위틈 밑으로 들어가 어떤 물고기와도 만나지 않은 채 아픈 성장을 한다. 속살은 딱딱한 껍질을 밀어내기 위해 안간힘을 쓴다. 이윽고 껍질은 깨지고 연한 껍질이 말랑한 속살 위를 부드럽게 감싸며 새로운 껍질이 되기 시작한다. 그리고 다시 바위 밖으로 나와 살아간다. 그러다 속살이 더욱 커지면 또다시 딱딱한 껍질이 속살을 조여온다. 바닷가재는 다시금 바위틈을 찾아 성장의 아픔을 겪는다. 그런 무수한 과정을 거쳐 조그맣던 바닷가재는 커다란 바닷가재로 성장한다.

사람도 마찬가지다. 사람이 느끼는 스트레스는 바닷가재의 딱딱한 껍질처럼 아프게 속마음을 파고든다. 그때 사람은 두 부류로 나뉜다. 그대로 아픔을 느끼고 깊은 좌절로 들어가는 사람이 첫 번째 부류의 사람이다. 또 한 부류의 사람은 바닷가재처럼 홀로 깊은 바위틈으로 들어가 새로운 성장을 통해 자신을 옥죄는 스트레스를 부수고 더 큰 사람으로 성장한다. 첫 번째 부류의 사람은 스트레스를 더 큰 스트레스로 받는 사람이다. 야구로 말하면 2군이라 할 수 있다. 이에 비해 1군 에이스는 스트레스stress를 스트렝스strength로 바꾼다. 누구나 스트레스를 받지만 아무나 스트렝스로 바꾸어 더 큰 바닷가재로 성장하는 것은 아닌 것이다. 스트레스를 스트렝스로 바꾸는 인생 에이스들만의 방법이 있다. 그 방법을 찾아가는 여정을 제시하는 것이 이 책을 쓰게 된 동기다.

1군에 속하는 바닷가재들에게는 분명한 노하우가 있었다. 그것은 바로 ACEAccept, Choose, Encourage다. A는 'Accept'의 의미로, 받아들이는 것이다. 스트레스를 가져오는 현실을 부정하지 않고 받아들인다. 수동적으로 받아들이는 것이 아니라 삶의 본질을 직시하며 있는 그대로 왜곡되지 않게 현실을 받아들인다. 1장에서는 받아들이는 방법에 대해 안내한다. C는 'Choose'의 의미로, 선택하는 것이다. 현실을 받아들인 후 그 현실을 기반으로 스트레스를 줄이는 최적의 방법을 선택한다. 2장에서는 선택의 다양한 원리와 예화를 소개한다. 마지막으로 3장의 E는 'Encourage'의 의미로, 격려하는 것이다. 스트레스를 초래한 현실을 받아들이고 스트렝스로 바꿀 선택을 한 후 그렇게 행동한 나 자신에 대해 아낌없이 격려하고 보상해주는 것이다. 자기 자신에 대한 격려와 칭찬을 통해 우리는 이후 일어날 스트레스에도 더 담담하고 더 당당하게 대응하며 보다 지혜롭게 대처하게 된다.

하늘 아래 해결하지 못할 일은 없다. 이 책을 통해 더 이상 두려운 스트레스가 아니라 설레는 스트레스가 되어 한결 즐거운 일상을 살 수 있게 되길 바란다.

2020년 12월

이서원

| 차 례 |

여는글 스트레스는 어떻게 우리를 성장시키는가 _ 4

1장. A: Accept, 삶의 부조리를 받아들여라

피할 수 없으면 받아들여라 _ 12

수용 하나, 나는 하필 왜 이런 부모를 만났을까? _ 17

수용 둘, 죽어라 _ 22

수용 셋, 할 수 없지 뭐 _ 27

수용 넷, 사는 게 힘든 것이 아니라 재미없이 사는 게 힘들다 _ 32

수용 다섯, 인생의 숨구멍 _ 36

수용 여섯, 인생은 주사위 _ 40

수용 일곱, 인생은 가위바위보 _ 45

수용 여덟, 어쩌다 좋은 것이 인생이다 _ 50

2장. C: Choose, 그래도 할 수 있는 것을 선택하라

더 나은 선택이 더 나은 삶을 만든다 _ 56

선택 하나, 몸 밖을 선택하라 _ 66

선택 둘, 몸 안을 선택하라 _ 77

선택 셋, 생각을 선택하라 _ 88

선택 넷, 관계를 선택하라 _ 113

3장. E: Encourage, 이런 나를 격려하라

자기 격려로 더 멋진 나를 만든다 _ 128
격려 하나, 지난날 내가 한 건 다 잘한 것이다 _ 131
격려 둘, 나니까 이 정도 한 것이다 _ 135
격려 셋, 나는 점점 더 좋아지고 있다 _ 138
격려 넷, 나는 무언가 또 배우고 있다 _ 140

닫는글 스트레스에서 스트렝스로 가는 길에 ACE가 있다 _ 144

1장.

A: Accept,
삶의 부조리를
받아들여라

피할 수 없으면
받아들여라

어린 시절 시골에서 올라온 친척 어른들이 도시에 있던 우리 집을 수시로 들락거렸다. 성가시고 귀찮은 일인데 엄마는 싫은 내색 한 번 안 하고 밥을 차려오고 술상을 보고 방을 내드렸다. 그런 날이면 우리 형제들은 한 방에 모여 구시렁거리며 손님이 가기만 기다렸다. 몇 시간 왔다가 금방 가는 손님이 있는가 하면, 모처럼 올라온 도시에서 밀쳐두었던 일들을 다 보고 가느라 며칠 머물다 가시는 손님도 있었다.

돌아보니 일상을 살면서 툭툭 찾아오는 안 좋은 일들은 마치 손님 같았다. 어떤 일은 금방 끝나기도 했지만, 어떤 일은 오래도록

아픔에서 더 배우고 성장한다

끝나지 않아 속을 끓여야 했다. 내 희망과 다르게 일의 종류와 성격에 따라 나는 속으로 끌탕을 했다. 그러면서 알게 된 것은 아무리 발을 동동거려도 일은 끝날 때가 되어야 끝난다는 것이다. 내가 일을 끝내는 게 아니라 일이 나를 끝내줘야 나도 일에서 자유로워질 수 있었다.

일이 나를 끝내주지 않는 동안 나는 어떻게 일을 대해야 할 것인가는 내 오랜 숙제였다. 특히 안 좋은 일이 나에게 생겼을 때 그로 인해 생기는 스트레스를 어떻게 해야 할지 알 수가 없었다. 어느 날 문득 '이건 내가 어떻게 할 일이 아니구나' 하고 깨닫게 되었다. 그렇다면 조바심을 내려놓는 수밖에 없었다.

스트레스를 스트렝스로 전환하는 첫 단계는 A, 즉 'Accept'로 받아들임이다. 받아들이는 것은 거부하지 않는다는 것이다. 집에 손님이 찾아와서 잠시 머물다 가겠다고 할 때 주인은 받아들이거나 거부해야 한다. 손님이 마음에 들지 않아 주인이 거부했을 때 그 손님이 그냥 물러간다면 당연히 거부를 해야 한다. 하지만 마음에 들지 않아 거부했는데도 손님이 물러가지 않는다면 어떻게 할 것인가. 우선 받아들일 수밖에 없지 않을까. 일단 받아들인 후 손님의 동태를 살피면서 언제 나갈지를 예측하고, 우리 집에 머무는 동안 내가 어떻게 대해야 할지 고민해야 한다. 그리고 내가 손해를 가장 덜 보고 손님도 손해 보지 않는 방법을 찾아내면 된다. 내 어머니는 어차피 손님을 받아야 한다면 좋게 받자고 작정하셨던 것 같다.

스트레스는 삶이라는 내 집에 수시로 찾아오는 대표적인 손님이다. 대개 예상도 못한 시간에 상상도 못한 모습으로 불쑥 찾아오기에 깜짝 놀라게 된다. 이 손님은 골치 아픈 손님이다. 왜냐하면 가라고 해도 가지 않고 자기 마음대로 내 삶에 쑥 들어와 안방을 차지하고 드러눕기 때문이다. 꼭 우리 집에 예고 없이 들이닥치던 친척 어른들처럼 말이다.

《손자병법》에 적을 알고 나를 알면 백 번 싸워도 지지 않는다고 했다. 스트레스라는 적을 알기 위해서는 먼저 받아들여야 한다. 맞이하고 받아들이지 않으면 자기가 심술을 부리며 강제로 집에 진입하기에, 정중하게 받아들이는 편이 서로에게 훨씬 낫다.

인상을 쓸 필요도 없다. 어차피 이번에만 오는 게 아니라 죽을 때까지 여러 모습으로 변장을 하고 평생 찾아올 단골손님이기 때문이다. 인상을 쓰고 마지못해 맞으면 나만 죽어난다.

스트레스는 감정 가문의 자식이다. 스트레스뿐만 아니라 감정 가문의 자식들은 모두 나의 삶이란 집에 허락도 받지 않고 불쑥 나타난다. 하루에 수도 없이 나타났다 사라지기도 하고, 몇 달이고 묵기도 하며, 심한 경우 평생 같이 주인과 살기도 한다. 중세 페르시아 수피였던 잘랄루딘 루미는 골치 아픈 스트레스를 어떻게 맞이하고 보내야 하는지를 〈여인숙〉이라는 시에서 이야기했다. 그는 스트

아픔에서 더 배우고 성장한다

레스를 포함한 모든 감정은 여인숙에 찾아오는 손님과 같으니 환영하고 잘 대접하라면서, 그 이유로 감정은 우리가 새로운 기쁨을 얻을 수 있게 내면을 비우는 역할을 한다고 했다.

미리 예상할 수도 없는 안 좋은 일이 어느 날 문득 나에게 생긴다는 점에서 인생은 부조리하고 불합리하다. 조리 있고 합리적인 인생이라면 내가 예상할 때 좋은 일이 있고, 내가 예상할 때 안 좋은 일이 있어야 한다. 그런데 그렇지 않다. 좋은 일도 안 좋은 일도 대개 내가 예상할 수 없는 순간에 느닷없이 혹은 소리 없이 나에게 밀고 들어온다. 인생이 합리적이라면 좋은 일은 오래 머물고, 안 좋은 일은 금방 사라져야 한다. 그것을 내가 원하기 때문이다. 그런데 좋은 일은 토끼처럼 왔다가 치타처럼 사라지고, 안 좋은 일은 거북이처럼 왔다가 달팽이처럼 사라지니 환장할 노릇이다. 그래서 인생은 부조리하고 불합리하다.

이런 인생에서 스트레스는 필수적이다. 그러므로 스트레스 없이 살려는 희망은 헛된 것이다. 그보다는 스트레스와 더불어 사는 법을 배우는 것이 바람직하다. 이는 태풍이 몰아칠 때 태풍을 피하지도 마주하지도 않으면서 피해를 최소화하는 방법을 찾는 사람의 마음과 같은 것이다. 스트레스를 외면하지도 않고, 스트레스에 화를 내어 더 큰 스트레스에 휩쓸리지도 않으면서, 스트레스 피해를 최소화하는 방법을 찾아야 한다.

이제부터 스트레스 피해를 최소화하는 마음의 여행을 함께 떠나보자. 여행을 떠날 때 제일 먼저 할 일은 빠짐없이 짐을 챙겨 캐리어에 넣는 것이다. 이 여행 가방에는 굵고 선명한 글씨로 A라고 적혀 있다. '받아들이세요'라는 'Accept'의 이니셜을 딴 것이다. 그 후 C라고 적혀 있는 비행기를 탈 것이다. 마침내 목적지에 도달하면 E라고 적힌 피켓을 들고 있는 여행 가이드가 활짝 웃으며 나를 맞이할 것이다. 먼저 짐부터 싸보자. 짐은 모두 여덟 개다.

캐리어에 빠짐없이 넣어야 하는 첫 번째 짐은 '나는 하필 왜 이런 부모를 만났을까'라는 이름의 심상치 않은 짐이며, 마지막 짐은 '어쩌다 좋은 것이 인생이다'라는 짐이다. 이제 하나씩 차례로 캐리어에 짐을 싸보도록 하자.

아픔에서 더 배우고 성장한다

수용 하나,
나는 하필 왜 이런 부모를 만났을까?

그룹 god의 노래 〈어머님께〉를 듣고 눈물을 흘린 사람이 많았다. "어머님은 짜장면이 싫다고 하셨어"로 유명한 가사는 지금도 우리에게 고생하신 어머니를 떠올리게 하고, 가난한 집에서 눈물 흘리고 학교에서 차별받으며 산 우리 자신을 떠올리게 한다. 그러면서 자연스럽게 왜 우리는 짜장면 하나 마음껏 사주지 못하는 그런 집의 그런 부모를 만나게 되었던 것일까 하는 의문이 생긴다.

부모가 반팔자라는 속담이 있다. 그만큼 어떤 부모를 만나느냐에 따라 사람의 운명과 팔자가 달라진다. 금수저로 태어나느냐 흙수저로 태어나느냐에 따라 평생 받게 되는 스트레스의 양과 질이 달라진다. 한동안 나는 왜 하필 내가 우리 부모를 만났는지 심각하게 고민한 적이 있다. 하고많은 집을 두고 왜 하필 우리 집에 태어났는지 알 수가 없었다. 기왕이면 돈 많고 인격도 훌륭한 부모 밑에서 태어나지 왜 돈도 없고 인격도 그리 뛰어나지 않은 부모 밑에서 태어났는지 궁금했다. 주위를 둘러보니 나만 이런 의문을 가진 게 아니라 좋은 집, 좋은 부모를 만나지 못했다고 생각하는 수많은 사람이 이런 의문을 가지고 있었다. 여러 날 여러 해를 이 의문을 풀기 위해 고심했지만 결국 뾰족한 이유를 찾을 수 없었다.

그러던 어느 날 프랑스의 철학자 사르트르Jean Paul Sartre를 책에서 만났다. 사르트르는 내 의문에 대해 이렇게 시원한 답을 해주었다. '알 수 없다.' 그것이 사르트르의 답이었다. 그는 사람은 아무 목적도 없이 아무렇게나 세상에 내던져진 존재라고 하였다. 인생의 의미나 목적 따위는 처음부터 존재하지도 않을 뿐만 아니라 내가 어떤 집에 누구를 부모로 해서 태어나는지도 아무 이유 없이 무작위로 툭 던져진 것처럼 태어난다는 것이다. 샤르트르의 말에 머리가 맑아졌다. 만약 우리가 내 인생에 어떤 의미나 목적을 가지고 태어나고 부모를 선택하여 태어난다면, 왜 하필 이렇게 부족하고 어설픈 부모를 선택한단 말인가. 어설픈 부모 아래서는 자식 노릇하기가 여간 어려운 것이 아니다. 그런 어려운 삶을 살기 위해 이 세상에 어떤 의도를 가지고 태어난다는 것은 말이 되지 않는다. 그래

아픔에서 더 배우고 성장한다

서 이유가 없다는 사르트르의 말은 아주 근사하게 들렸다. 나는 그냥 태어난 것이다. 나는 그냥 이 부모를 만난 것이다. 우연의 산물이기에 내가 태어난 집과 내가 만난 부모에게 토를 달 필요가 없다는 것이 사르트르의 설명이다.

지금은 세상을 떠난 신해철은 가수이면서 철학자였다. 그는 인생의 근본 문제에 대해 사람들에게 시원한 독설을 날리는 것으로 유명했다. 그의 이야기를 듣고 있으면 속이 후련했다. 한번은 그가 이런 이야기를 했다.

"왜, 인간은 소명을 가지고 태어난다잖아. 거기에 부응해서 자기의 무언가를 이끌어내야 한다고 하잖아. 그런 거 없어! 태어난 게 목적이야! 목적을 다 했어. 그럼 지금 살고 있는 우리의 시간은 뭐냐고? 신이 우리를 예뻐해서 윙크를 하면서 보내준 보너스 게임이야. 네 마음대로 하고 싶은 걸 해. 애써 태어나서 살고 있으면 지금 하고 있는 일이 잘됐든 안 됐든 '내일의 나는 더 나은 내가 될 거야'가 아니라 오늘로도 충분히 한 거야."

사르트르와 신해철은 같은 이야기를 다른 표현으로 하고 있다. 신해철은 '태어난 것 자체가 목적이다. 어느 집에서 어느 부모를 만나든 그건 태어난 다음의 일이다. 일단 인생의 목적은 태어나는 것, 그 자체에 있다. 태어난 것으로 이미 인생의 목적을 달성했으니 나머지 죽을 때까지의 삶은 보너스 게임으로 마음껏 즐기고 하고 싶은 걸 하며 살아가라'고 말하고 있다. 나는 신해철의 이야기가 사르트르의 이야기보다 더 시원하게 와닿았다. 굳이 어려운 용어로 힘들게 이해할 필요가 있을까. 신해철의 이야기는 그동안 궁금했던 나의 의문을 말끔하게 해소해 주었다. '그냥 태어난 거야. 그게 목적이야. 나머지는 네가 알아서 해. 쓸데없는 고민 하지 말고.' 그의 말이 힘들고 지칠 때마다 위로가 되었다.

삶은 정말 이해할 수 없는 것으로 가득하다. 그리고 그런 부조리는 내가 세상에 태어난 순간부터 시작된다. '피할 수 없으면 즐기라'는 말이 있다. 대한민국 남자라면 한 번쯤 들어본 말이다. 나는 군대에 갈 때 이 말을 선배에게 들었다. 군대에 가는 건 의무다. 내가 어떻게 한다고 바꿀 수 있는 일이 아니다. 건강한 몸을 가졌다면 입 꾹 다물고 군대에 가야 한다. 피할 수 없는 걸 삐죽이 입 내밀고 불평불만 해봤자 나에게 득 될 게 하나 없다. 그래서 피할 수 없으면 즐기라는 말이 생겼다. 그 말 덕분에 탈영하고픈 수많은 병사가 참았고, 총기 사고를 낼 뻔한 많은 병사가 견뎠으며, 내무반의 부조리한 폭력을 버텨냈다. 피할 수 없으면 견디라고 하지 않고 즐기라고 한 데 인생의 묘미가 있다. 군대를 크게 확대하면 바로 인생이 된다. 영문도 모르고 태어난 인생도 내가 피할 수 있는 것이 아니다. 태어난 이상 그냥 살아갈 수밖에 없다. 원망하며 버티는 삶을 살 것인지, 즐기며 버티는 삶을 살 것인지만 내가 결정할 수 있다.

삶의 첫 번째 스트레스는 금수저 스트레스다. 나는 왜 이 부모를 만났을까로 압축되는 스트레스다. 답은 '이유가 없다'다. 그저 태어났으니 태어난 것일 뿐이다. 그리고 태어난 것 자체가 목적이다. 그러니 이유를 더 이상 묻지 말자. 더 이상 왜냐고 묻지 말고 그럼 이제 어떻게 할 것인가를 묻자. 이것이 인생 첫 번째 스트레스를 이겨내는 비결이다. 우리는 그냥 태어난 것이다. 피하지 못하고 그냥 태어난 것이다. 우리에겐 어떻게 이 게임을 즐기며 살아갈 것인가를 생각하고 행동할 자유만 있을 뿐이다.

수용 둘,
죽어라

일찍이 석가는 가장 행복한 사람은 태어나기 전에 엄마 배 속에서 죽은 사람이고, 그다음으로 행복한 사람은 태어나자마자 죽은 사람이며, 그 이외의 사람은 모두 고통의 바다, 즉 고해苦海에서 살아가는 가련한 중생일 뿐이라고 했다.

석가의 이야기처럼 엄마의 배 속은 세상에서 가장 따뜻하고 모든 것이 충족되는 곳이다. 엄마의 양수를 통해 아기가 필요한 모든 영양분이 공급되고 완전한 울타리에 둘러싸여 아무 걱정 없이 먹고 자고 놀면 된다. 최고의 아지트다. 그곳에 스트레스는 없다. 있다고 해도 태어나 받는 스트레스에 비한다면 스트레스라고 말하기도 민

아픔에서 더 배우고 성장한다

망할 정도다.

일단 엄마의 배 속을 나오는 순간부터 스트레스의 연속이다. 좁고 어두운 엄마의 산도를 머리로 밀고 나오는 것은 인생 최초로 경험하는 극심한 고통이자 스트레스다. 나오자마자 그동안 모든 영양을 공급해 주던 탯줄이 싹둑 잘리고, 강렬한 불빛이 눈을 뜨기도 힘들게 아프게 하고, 주위의 시끄러운 소리가 성가시게 한다. 그래서 아이는 첫 스트레스를 멈추지 않는 울음으로 표현한다. '그놈 참 울음소리 한번 우렁차다'는 것은 스트레스에 찌든 어른이 신생아의 심정을 몰라서 하는 소리지, 신생아는 이렇게 말하고 있지 않을까. '지금은 이런 나를 보고 측은하게 여겨 울 때지, 그런 한가한 소리나 하면서 웃을 때가 아니에요.' 지금 막 모든 것이 낯설고 불편한 세상에 나와 스트레스를 받아 죽겠는데 '까꿍' 하며 웃음을 멈추질 않고, 누구 닮았다며 좋아 어쩔 줄 모르고, 이리저리 휴대폰으로 사진 찍어 부지런히 퍼 나르는 부모를 보면 가관이다 싶을 것이다.

프랑스의 산부인과 의사 르봐이예Frédérick Leboyer는 이런 아이의 스트레스를 눈치 채고 어떻게 하면 아이가 스트레스를 덜 받으면서 태어날 수 있을까를 고심했다. 그리고 그것을 자신만의 독특한 분만법으로 만들어 세상에 내놓았는데 '르봐이예 분만법'이 그것이다. 르봐이예 분만법의 핵심은 아이가 세상에 나올 때의 환경을 엄마의 배 속과 가장 가깝게 만들어준다는 것이다. 양수에 있었던 것처럼 수중 분만을 하고, 컴컴한 조명과 조용한 환경으로 엄마 배 속의 빛과 소리를 재현하며, 탯줄을 최대한 천천히 자른다. 또한 늘 듣던 엄마의 심장 소리를 들을 수 있도록 산모가 아이를 조용히 안아준다. 르봐이예는 이를 '폭력 없는 탄생'이라 이름 짓고 자신이 실천한 수많은 사례를 책으로 소개했다. 그의 공로는 태어나 바로 머리를 시멘트에 박는 듯 고통스럽게 경험하는 아기의 스트레스를 최소화했다는 데 있다. 나는 오래전 르봐이예의 책 《폭력 없는 탄생》을 접하고 탄성을 질렀다. 정말 말이 되는 이야기였다. 진작 알았더라면 우리 아이도 르봐이예 분만법으로 세상에 나오게 했을 텐데, 아들이 태어난 후 이 책을 접하게 된 것이 아쉬웠다.

르봐이예의 관찰처럼 우리는 태어나는 순간부터 스트레스를 숙명으로 안고 살아가게 된다. 스트레스에 못 견딜 것 같다며 정신과 병동을 찾아온 동대문 상인의 이야기는 우리가 얼마나 스트레스로 괴로워하며 사는지를 잘 말해준다.

나의 스승이신 이근후 선생님이 동대문 이대병원에서 정신과 의사로 근무할 때 극심한 스트레스를 호소하는 상인 한 사람을 진료하게 되었다. 얼마나 스트레스에 시달렸던지 그는 선생님에게 스트레스만 없애준다면 땅문서라도 드리겠다고 했다. 선생님은 그에게 다음 번에 스트레스를 없앨 비법을 알려줄 테니 땅문서를 가져오라고 했다. 반신반의하며 다음 진료 시간에 시골 작은 땅 문서를

아픔에서 더 배우고 성장한다

정말 들고 온 상인에게 선생님은 비법을 적어 넣은 후 밀봉한 봉투를 내밀면서 말했다. 다른 때는 열어 보지 말고 도저히 스트레스 때문에 견딜 수가 없을 때 열어 보라고 했다. 상인은 선생님의 비방만 믿는다고 하면서 밀봉된 봉투를 들고 돌아갔다. 얼마 후 그가 온 병원이 떠나가게 고래고래 소리를 지르며 선생님에게 뛰어들어 왔다. 그리고 이런 걸 비방이라고 주었느냐며 거칠게 항의했다. 그 비방에는 도대체 무어라 적혀 있었던 걸까. 그 비방에는 딱 세 글자가 적혀 있었다.

"죽어라."

흥분한 상인을 자리에 앉게 한 후 선생님은 이렇게 설명했다. '바위나 돌처럼 죽은 것 외에 살아 있는 모든 것은 스트레스를 받는다. 살아 있는 모든 것이 받는 스트레스를 받지 않으려면 죽는 수밖에 없다. 그러니 스트레스는 없애는 것이 아니라 관리하며 사는 것이다.' 그러면서 땅문서를 돌려주었다. 그 후 상인이 스트레스를 어떻게 생각하고 관리하며 살았는지는 선생님도 나도 알지 못한다. 하지만 적어도 스트레스를 없애려고 기를 쓰는 삶은 더 이상 살지 않았을 것이라는 건 어렵지 않게 예상할 수 있다.

스트레스는 삶의 필수 요소다. 스트레스가 없는 삶은 존재하지 않는다. 이근후 선생님의 말씀처럼 그런 삶을 살고 싶으면 죽어야 한다. 살아 있는 모든 것은 스트레스를 받는다. 그리고 그 스트레스는 사람을 괴롭게 한다. 사람이 할 수 있는 일은 하나밖에 없다. 그 스트레스의 정체를 이해하고 스트레스를 달래며 관리하는 것이다. 스트레스와 전쟁을 벌이면 스트레스는 더 커지고 자신은 더 큰 내상을 입게 된다. 적군과 아군의 피해만 점점 커질 뿐이다. 전쟁이 답이 아니라 화친이 답이다.

인간의 몸을 받은 이상 탄생의 순간부터 죽음의 순간에 이를 때까지 우리는 스트레스와 더불어 살다가 스트레스와 더불어 죽는다. 피할 수 없는 것이라면 즐기라는 말은 인류가 발견한 스트레스의 백신이자 치료제 중 으뜸가는 약이다.

개똥밭에 굴러도 저승보다 이승이 낫다는 속담이 있다. 생명을 가진 사람에게 가장 큰 두려움과 스트레스는 죽음이다. 죽는 것보다는 크고 작은 스트레스를 받으며 사는 삶이 더 낫다. 그렇다면 답은 분명해진다. 죽지 말고 스트레스와 함께 살아가는 것이다. 스트레스를 평생 데리고 다니는 내 친구로 여기고 다독이며 살아가는 것이다.

아픔에서 더 배우고 성장한다

수용 셋,
할 수 없지 뭐

《손자병법》에서는 최고의 병법 가운데 하나로 '삼십육계 줄행랑'을 들고 있다. 내 힘으로는 도저히 당할 수 없는 적이라면 도망가야 한다. 질 게 뻔한데도 싸우는 건 용기가 아니라 객기다. 싸우는 것만이 능사가 아니다.

살다가 스스로 감당할 수 없는 어려움을 만나면 받아들이는 수밖에 없다. 그리고 적응하기 위한 방법을 모색해야 한다. 구순을 바라보는 이근후 선생님은 한 해에도 여러 권의 책을 집필하신다. 몇해 전 출판기념회에 갔을 때의 일이다. 책에 대한 저자의 이야기가 끝나고 참석자들이 궁금한 것을 질문하는 시간에 내가 손을 들고 여쭈었다.

"선생님은 지금 한쪽 시력도 잃으시고 다른 쪽 눈도 어두워지셨지요? 책에 밝히신 것처럼 여러 만성질환도 있으신데 표정이 무너지지 않고 그대로 밝으신 걸 보니 신기합니다. 비결이 있으신지 알려주시면 저희들에게 큰 도움이 될 것 같습니다."

그러자 선생님은 천천히 설명하셨다.

"제가 팔십 중반이 되도록 살면서 마음에 담게 된 철학이 있어요. 그것은 '할 수 없지 뭐'라는 철학입니다. 이야기한 것처럼 저는 여러 질병과 눈에 어려움이 있지요. 그런데 제가 이걸 거부하고 받아들이지 않는다고 덜 아프고 더 잘 보이는 건 아니잖아요. 이럴 때는 '할 수 없지 뭐' 하고 받아들이는 게 제일 좋은 방법입니다. 그렇게 하고 나면 이제 어떻게 할 것인가 하는 현실적인 방법을 생각해 볼 수 있습니다. 그 결과로 나온 게 이번 책이기도 하지요."

이근후 선생님의 말씀을 들은 후부터 나도 내가 감당할 수 없는 어려움이 생기면 '할 수 없지 뭐' 하고 혼잣말하는 습관이 생겼다. 신기하게 그것은 좌절의 말이 아니었다. 오히려 반대로 무언가 할 수 있는 것은 하자는 희망의 말이었다. 내가 이러지도 저러지도 못할 거대한 현실을 거부하지 않고 받아들이고 나면, 그 가운데 무엇이라도 내가 할 수 있는 것을 찾게 된다. 그것은 거대한 벽을 보며 한숨 쉬던 감정이 정리되기 때문이다. 가슴의 불이 켜지면 이상하

아픔에서 더 배우고 성장한다

게 머리의 불이 꺼진다. 감정이 커지면 이성이 제대로 작동하지 않는 것이다. 반대로 이성이 커지면 감정도 줄어든다.

'할 수 없지 뭐'라는 말은 이성을 키우고 감정을 줄이는 힘을 가지고 있다. 이 말을 하고 나면 가슴이 차분해진다. 그러면서 머리에 여유가 생긴다. 머리에 여유가 생기니 담담하게 해결 방안을 하나둘 생각해 볼 수 있게 된다. 내려놓음으로써 가슴을 안정되게 하고 머리를 활성화시키는 이중 효과를 거두는 마법 같은 말이 '할 수 없지 뭐'라는 말이다.

일찍이 미국의 신학자 라인홀드 니부어Reinhold Niebuhr는 '내가 바꿀 수 없는 것을 받아들이는 편안함과 바꿀 수 있는 것을 변화시키는 용기를 주시옵소서. 그리고 항상 이 둘의 차이를 알 수 있는 지혜를 주시옵소서'라고 했다. 여기서 바꿀 수 없는 것을 바꾸려 하지 않고 받아들일 때 하는 말이 '할 수 없지 뭐'다. 받아들이면 니부어의 이야기처럼 마음에 편안함이 온다.

코로나가 장기화되면서 코로나 블루 시대를 거쳐 코로나 레드 시대가 되었다. 우울한 블루 시대와 분노의 레드 시대에 가장 필요한 마음은 '할 수 없지 뭐'의 마음이다. 우리가 코로나에 아무리 대적하려고 해도 완전한 효능의 백신과 치료제가 개발되고 보급되기 전까지는 코로나와 더불어 살아가야 한다. 이때 코로나에 겁을 먹고 우울하게 사는 것도, 화가 나 분노를 터트리는 행동을 하는 것도 별다른 도움이 되지 않는다. '할 수 없지 뭐' 하고 코로나의 위협을 기정사실로 받아들이면 '이제 어떻게 해야 할까?'라는 현실적 질문이 자연스럽게 머리에 떠오르게 된다.

일단 코로나에 감염되지 않도록 조심해야 한다. 언제 어디서 감염될지 알 수 없기 때문이다. 코로나에 감염되고 싶어 감염된 사람은 단 한 사람도 없다. 감염되니 어쩔 수 없이 감염되었을 뿐이다. 내가 감염되었다면 이를 부정해도 소용이 없다. '할 수 없지 뭐' 하는 마음으로 어디서 어떻게 치료받을 것인지에 마음을 기울여야 한다. 그것이 코로나와 더불어 살아가는 가장 좋은 방법이다. 이를 나는 코로나 그린 시대의 마인드라고 이름 지었다. 블루도 아니고 레드도 아닌 평화의 그린이다.

코로나가 와서 쩔쩔 매는 것이 코로나 블루라면, 코로나에 잔뜩 화를 내는 것이 레드이고, 코로나와 어쩔 수 없이 함께 가기로 마음먹는 것이 그린이다. 그린 시대에는 마스크에 대한 세심한 관심이 늘어나게 된다. 최대한 안전하게 나를 지키는 길은 마스크를 생활화하는 것이기 때문이다. 마스크를 벗어놓았다가 잃어버리지 않도록 마스크에 끈을 매기 시작했다. 얼마 지나지 않아 머리 좋은 우리나라 사람들은 마스크 끈을 예쁘게 만들기 시작했다. 다양한 모양과 재질의 마스크 끈을 매고 사람들이 거리를 다니기 시작했다. 할 수 없이 마스크를 써야 하기에 마스크 끈을 만든 것이고, 기왕이면

아픔에서 더 배우고 성장한다

다홍치마라고 마스크 끈에 디자인을 적용한 것이다. 이는 '할 수 없지 뭐'라는 마음으로 코로나를 내 삶에 받아들였기 때문에 나타난 의미 있는 작은 변화다. 많은 하객이 참석하지 않도록 스몰 웨딩이 빠르게 자리를 잡아가고 있는 것도 이러한 변화의 한 모습이다. 그 결과 꼭 와서 축하해 주어야 할 최소한의 사람만 결혼식에 초대하게 되니 결혼 비용이 대폭 줄어들고 소박하고 진지한 웨딩 의식이 가능하게 되었다.

코로나뿐만 아니라 삶에서 내가 감당하기 어려운 스트레스 사건이 일어날 때 '할 수 없지 뭐'의 마음으로 담담하게 상황을 받아들이게 되면 의외로 많은 심리적 이익과 현실적 이득을 볼 수 있다. 세상은 내가 어떻게 할 수 없는 것이 훨씬 더 많다. 나이가 들어가는 것, 나이 들어 병이 찾아오는 것, 어린 자녀들이 장성해 살 길을 찾아 나가는 것 등은 내가 어떻게 해볼 수 없는 일들이다. 그럴 때 스트레스를 관리하는 마법의 주문을 외워보는 것이다.

"할 수 없지 뭐."

수용 넷,
사는 게 힘든 것이 아니라
재미없이 사는 게 힘들다

우리나라 아이들이 받는 가장 큰 스트레스는 공부에 대한 스트레스다. 초등학교 6학년이 된 아들이 전교 회장 선거에 출마했다. 아들의 선거 공약은 세 가지였다. 첫째, 유튜브보다 재미있는 학교를 만들겠다. 둘째, 게임보다 신나는 학교를 만들겠다. 셋째, 카톡보다 즐거운 학교를 만들겠다. 떨어졌다. 말도 안 되는 공약이었기 때문이다. 유튜브보다 재미있고, 게임보다 신나며, 카톡보다 즐거운 학교를 만들기는 불가능하다. 늘 학교와 공부는 유튜브, 게임, 카톡보다 재미없다. 그것도 훨씬 재미없다.

중학생이 되더니 아들은 늦은 밤까지 게임을 하곤 했다. 예나

지금이나 학교 공부가 재미없다는 걸 잘 알고 있는 나는 아들이 게임하는 것에 대해 화가 나기보다는 슬픈 마음이 들었다. 공부하는 게 오죽 재미없으면 게임에 빠져들까 싶었다. 어느 날 아들에게 말했다.

"승준아, 아빠가 미안해."

아들이 이유를 물어 내가 대답했다.

"아빠가 게임보다 재미없어서."

그 말에 아들은 물끄러미 나를 보더니 이렇게 말했다.

"아빠, 괜찮아. 게임보다 아빠가 재미있기는 힘들어!"

아들의 말에 크게 웃었다. 정말 아들 말이 맞았다. 아빠가 뭐라고 게임보다 더 재미있을 수 있단 말인가. 무엇보다 아빠가 게임보다 재미없는 이유는 내심 공부하기를 바라기 때문이다.

학교 공부는 정말 재미가 없다. 공부가 목적이 아니라 대학교를 가기 위한 수단이기 때문이다. 공부의 마지막 목적은 늘 대학 입학시험이다. 그래서 공부하는 내용은 이해의 대상이 아니라 암기의 대상이다. 그러다 보니 아무리 내용이 재미있어도 즐거움이 사라진다. 이에 비해 유튜브와 게임과 카톡은 암기의 대상이 아니라 이해의 대상이다. 그래서 하면 할수록 재미있다.

사람이 견디기 어려운 것은 고통과 심심함이다. 심심하고 무료한 것은 견디기 어렵다. 사는 재미가 없다면 하루하루가 고문이며 스트레스다. 초등학교에 들어가 고등학교를 졸업할 때까지 12년 동안 아이들은 하루하루가 스트레스로 가득하다. 외워도 외워도 외워야 할 것이 갈수록 늘어나는 공부를 하기 때문이다.

몇 해 전 서울대학교에서 좋은 성적을 받는 최우수 학생의 공부 비결을 EBS 교육방송에서 방영한 적이 있다. 비결은 교수가 이야기한 내용을 토씨 하나 틀리지 않게 모두 통째로 암기하는 것이었다. 서울대학교 교수학습개발센터는 그 비결을 모든 학생에게 배포하려다 그렇게 공부하는 게 맞는 것인지 의문이 들어 그만두었다. 상현이라는 서울대 학생은 성적이 높지 않았는데 별명이 질문왕이었다. 궁금한 것을 늘 질문했다. 그리고 자신의 생각을 시험 답안지에 썼다. 성적은 A가 적었다. 그런데 통째로 외우는 공부 방법을 전수받아 그대로 답안지에 썼더니 성적이 폭풍 상승을 했다. 처음으로 장학금을 받아 부모님께 효도도 했다. 그런데 상현이는 기쁘지 않았다. 예전에는 공부하는 게 힘들어도 재미있었는데 더 이상 재미가 없었기 때문이다. 외우는 공부로 바꾸고 내 의견을 없애는 순간, 그 재미나던 공부는 더 이상 재미가 아니라 외워야 하는 스트레스로 변모하고 만 것이다.

오늘도 우리 아이들은 사는 게 힘든 것이 아니라 재미없게 사는 게 힘든 삶을 스트레스 받으며 살아가고 있다. 이런 세상에서 스트레스를 덜 받으며 12년의 학창 시절을 살아나갈 수 있는 방법은 내가 지금 어디에 있는지를 아는 것이다. 알고 당하는 고통은 덜 괴롭기 때문이다. 그러면서 나만의 재미를 찾아보아야 한다. 이때 나의 몸과 마음을 괴롭히는 것은 아무리 재미있더라도 결국 나를 더 힘들게 하고 스트레스를 크게 한다는 것을 기억해야 한다. 친구와 흠뻑 땀을 흘리며 운동하는 것은 나와 친구의 몸과 마음을 더 즐겁게 하는 것이기에 스트레스를 해소하기에 좋은 방법이다. 그러나 밤을 새우고 술이나 담배로 스트레스를 풀려고 하는 것은 나의 몸과 마음을 더 괴롭게 하는 것이기에 스트레스를 점점 가중시키는 방법이다. 또한 친구와의 나눔은 스트레스를 완화시키는 또 다른 방법이다. 같은 처지의 친구를 사귀고 동병상련의 마음으로 서로 위로하고 격려하는 것은 똑같은 스트레스를 더 잘 견딜 수 있게 해주는 버팀목이 된다. 학창 시절을 돌아보면 남는 게 친구밖에 없다고 많은 어른이 이야기하는 까닭은 그때 친구와의 우정이 스트레스 가득한 학창 시절을 버틸 힘이 되어주었기 때문이다.

이렇게 지금 나의 자리를 직시하고, 작더라도 나만의 재미를 찾아가고, 친구와의 우정을 다지는 것은 입시 스트레스를 겪어야 하는 아이들이 스트레스를 스트렝스로 바꿀 수 있는 세 가지 힘이다.

수용 다섯,
인생의 숨구멍

어린 시절 겨울, 얼음이 꽁꽁 언 동네 연못에는 항상 숨구멍이 있었다. 그곳은 얼음이 얼지 않았다. 숨구멍은 어떤 날은 작고 어떤 날은 컸다. 아이들은 힘차게 썰매를 몰아 숨구멍 위를 빠른 속도로 지나가는 내기를 하곤 했다. 아슬아슬하게 구멍을 스치며 썰매를 지치는 아이는 겁을 내며 지켜보는 아이들의 인기를 한 몸에 받았다.

왜 연못에 숨구멍이 있는지 궁금했다. 중학생 때 과학 선생님에게 물어보았더니 선생님은 숨구멍이 있어야 얼음이 제대로 언다고 했다. 그때 숨구멍이 꼭 필요하다는 것을 알게 되었다. 살아가면서 숨구멍은 자주 나타났다. 괴롭고 힘든 일로 내 마음속에 얼음이 꽁

아픔에서 더 배우고 성장한다

꽁 얼기 시작할 때, 예상하지도 못했던 좋은 일이 하나 생겨 나를 웃게 해주었다. 마냥 즐거워 아무 걱정이 없을 때, 더럭 안 좋은 일이 하나 생겨 나를 울게 만들었다. 그런 일이 자꾸 반복되자 늘 숨구멍을 하나 가지고 살아가야 한다는 걸 깨닫게 되었다. 그래서 힘들 때도 머지않아 숨구멍 하나쯤 뚫릴 것이라고 생각하게 되었고, 좋을 때도 숨구멍 하나 생겨 힘들 수 있을 것이라고 생각하게 되었다. 알고 당하는 것과 모르고 당하는 것은 다르다. 알고 당하면 덜 놀라고 덜 당황하게 되어 대처가 빠르고 정확하다. 모르고 당하면 더 놀라고 더 당황하여 대처도 느리고 서툴게 된다. 숨구멍이 우리 인생에 늘 있다는 걸 알게 되면 어떤 일에도 크게 일희일비하지 않게 된다. 담담한 마음으로 하루하루를 맞이할 수 있다.

로마 제국의 마르쿠스 아우렐리우스Marcus Aurelius Antoninus는 지혜로운 황제였다. 아우렐리우스는 아침이면 스스로에게 이런 이야기를 했다.

'아우렐리우스야, 오늘 네가 아무 잘한 것도 없는데 너를 칭찬하는 아첨꾼을 만나기도 할 것이고, 네가 아무 잘못도 없는데 너를 욕하는 사람도 만날 것이다. 너는 오늘도 별의별 사람을 다 만날 것이다. 그러니 아우렐리우스야, 놀라지 마라.'

이렇게 자신에게 아침마다 이야기하면 어떤 좋은 일이 생길까. 그렇다. 덜 놀라게 된다. 이미 별일이 다 생기고 별사람을 다 만날 것이라고 예상했기 때문에, 막상 그런 일이 생기면 '나는 네가 올 줄 알고 있었다'는 생각에 덜 놀라게 된다. 마음의 여유가 생겨 좀 더 현명하게 그 일과 그 사람을 대할 수 있게 된다. 문제는 마음의 여유다. 마음의 여유는 내가 미리 알 때 생긴다.

좋은 일과 안 좋은 일은 우리 인생에서 쌍둥이와 같아서 늘 같이 다닌다. 좋은 일만 있는 인생도 없고, 안 좋은 일만 있는 인생도 없다. 늘 좋은 일만 있는가 하면, 어느 날 안 좋은 일이 숨구멍으로 삐죽이 고개를 내민다. 안 좋은 일만 있는가 하면, 또 어느 날 좋은 일이 뽀로롱 고개를 든다. 그게 보통 사람들의 정상적인 인생이다.

스트레스란 원래 토목학에서 나온 개념이다. 다리와 그 다리 위를 지나는 자동차를 생각하면 된다. 다리가 부실하면 큰 화물트럭이 지날 때 무게를 견디지 못하고 무너진다. 이때 위에서 누르는 화물트럭이 스트레스 사건이고, 다리가 견디는 힘이 스트레스 대처 능력이다. 그래서 스트레스는 요구보다 능력이 작을 때 생긴다. 화물트럭이 요구하는 힘보다 다리가 버티는 힘이 작으면 무너지는 것이고, 버티는 힘이 크면 무사한 것이다. 그런데 화물트럭은 수시로 지나다닌다. 다리가 어떻게 할 수가 없다. 결국 다리의 힘을 키우는 수밖에 없다. 그 가운데 하나가 화물트럭이 언젠가 지나갈 것임을 미리 알고 있으라는 것이다. 그러면 다리가 조금 더 힘을 낼 수 있다. 화물트럭이 여러 대 지나갈 때에도 머지않아 가벼운 경차가 지

아픔에서 더 배우고 성장한다

날 걸 아는 것이 숨구멍의 원리다. 반대로 가벼운 경차가 지나가서 다리가 컨디션이 좋을 때에도 언젠가 무거운 화물트럭이 지날 걸 아는 게 숨구멍의 원리다.

나이가 어린 10대나 20대에는 숨구멍의 원리를 모를 뿐 아니라, 숨구멍이 나타나도 잘 알아차리지 못하고 받아들이려 하지 않는다. 좋으면 좋은 거고 안 좋으면 안 좋은 거지, 좋다가 안 좋고 안 좋다 좋은 것을 이해하려 하지 않는다. 그래서 젊은 시절에는 분노가 많다. 짜증이 많이 난다. 깔끔하게 일이 되지 않기 때문이다. 이제 조금만 있으면 입학시험인데, 덜컥 아버지가 병으로 쓰러지신다. 안 좋은 숨구멍이 생기는 것이다. 그럴 때 아이는 큰 스트레스를 받을 수밖에 없다. 아버지 걱정은 둘째고 하필 지금 아버지가 쓰러지시는가 싶다. 그런데 한 해 두 해 인생을 살다 나이가 50대나 60대를 넘어가면 숨구멍의 원리를 자연스레 깨닫게 된다. 수없이 그런 일을 반복해서 겪었기 때문이다. 그래서 숨구멍이 나타나면 금방 알아차리고 받아들인다. 좋을 때도 안 좋을 때를 예상해 담담하고, 안 좋을 때도 좋을 때를 예상해 담담하다. 사업이 잘되어 가는데 갑자기 아이가 아프면, 스트레스를 받긴 하지만 젊을 때보다 훨씬 덜 받는다. 인생은 숨구멍의 연속이라는 사실을 알고 있기 때문에 비교적 담담하게 아이의 병을 받아들인다. 인생의 숨구멍을 받아들이면 스트레스도 많이 줄어든다.

수용 여섯,
인생은 주사위

나는 여행을 할 때 늘 바지 주머니에 넣고 다니는 게 하나 있다. 큼지막한 주사위다. 그것을 손으로 만지작거리다 보면 이상하게 마음이 편해진다. 육각형이라 원과 달리 만지는 맛도 있고, 둥그렇게 깎여 있는 모서리의 매끄러운 느낌도 좋다. 하지만 마음이 편해지는 가장 큰 이유는 내가 주사위에 대해 가지고 있는 개인적인 의미다. 나는 일찍부터 인생은 주사위와 같다는 생각을 하며 살고 있다. 무슨 수가 나올지 알 수 없기 때문이다. 내가 원하는 수가 나올 때도 있지만 그렇지 않을 때가 더 많다. 내가 원하는 수는 여섯 개의 수 가운데 하나이니 발생할 확률이 6분의 1에 불과하다. 원하지 않는

아픔에서 더 배우고 성장한다

일이 일어날 확률은 무려 5배나 많은 6분의 5이다. 이것이 인생이다. 살아보니 그랬다.

어린 아들에게도 주사위 인생을 알려주었다. 큼지막한 주사위를 하나 사주고 '인생은 주사위다'라는 말을 따라 하게 했다. 서너 살 된 아들이 이 말을 하니 귀엽기도 하고 우습기도 했다. 내친 김에 아들에게 뒷말도 따라 하게 했다. '무슨 수가 나올지 모르니까!' 아무 뜻도 모르고 아빠 말을 따라 하던 아들은 주사위 덕분에 삼촌과 고모들에게 꼬마 철학자란 말도 듣고 한 번씩 두둑한 용돈을 받기도 했다. 주사위처럼 인생은 무슨 수가 나올지 모르는데 한 번씩 좋은 용돈의 수도 나왔던 것이다. 그래서 아들도 지금까지 주사위를 좋아한다. 행운의 열쇠 같은 느낌이 드나 보다.

신은 사람에게 두 번 웃는다는 말이 있다. 한 번은 사람이 '별일도 다 있다'며 우연을 신기하게 여길 때다. 신의 입장에서는 우연이 없기 때문에 웃는 것이다. 사실 우연은 없다. 우연이란 원인이 너무 복잡해서 지금은 설명할 수 없는 필연일 뿐이다. 세상에 그냥 생기는 일은 없다. 모두 철저한 인관관계에 의해 나타날 일이 나타나는 것일 뿐이다. 《채근담》에는 '늙어서 얻는 병은 모두가 젊었을 때 부른 것'이라는 말이 있다. 몸이 건강할 때 영원히 건강할 것이라 믿고 몸을 함부로 굴리고 거칠게 대하면, 나이 들어 거의 반드시 골병이 들고 만성질환에 시달리게 된다. 필연이다. 젊어 놀면 나이 들어

고생하게 된다. 모든 세상일이 인과에서 한 치도 벗어나지 않는다.

내가 박사 학위 논문을 쓸 때 마음이 많이 힘들어 한 스님께 좋은 말씀을 부탁드렸다. 스님은 먹을 갈고 붓을 들더니 화선지에 '인원과만因圓果滿'이란 네 글자를 써서 나에게 주었다. 그 뜻을 묻자 원인을 든든하게 하면 과일이 주렁주렁 열리듯 결과는 저절로 풍성해진다는 것이다. 논문이 통과될지 걱정할 시간이 있으면 논문 잘 쓸 생각을 하라는 말씀으로 알아듣고 논문 준비를 더 열심히 할 수 있었다. 박사 논문이 우연히 통과되는 일은 없다. 온 마음을 다해 준비해야 간신히 통과되는 것이 박사 논문이다. 모든 박사는 필연이라는 과정을 거쳐 박사가 되는 것이다.

또 한 번은 '다음에 이렇게 해야지' 하고 미래를 예상하고 예측할 때 신이 웃는다고 한다. '어디 네 마음대로 일이 진행되나 보자' 하고 웃는다는 것이다. 사실 세상일은 예측대로 안 되는 일이 대부분이다. 코로나가 올 것이라고 누가 예측했으며 온 후로도 이렇게 오랜 기간 머물지 누가 예상할 수 있었겠는가. 느닷없이 생겨 온 세상을 휩쓸고 있는 죽음의 바이러스를 상상조차 하지 못했던 게 우리다. 코로나뿐 아니라 크고 작은 일이 수없이 일어나기 때문에 '다음에 이렇게 될 것이다', '다음에 이렇게 하겠다'는 계획은 수정되고 변형되는 일이 부지기수며 그것이 정상이다.

나는 학부에서 경제학을 전공했다. 경제학에 대한 정의 가운데 가장 기억에 남는 것은 '경제학이란 내일 이렇게 된다고 이야기하고, 내일 왜 이렇게 되지 않았는가를 해설하는 학문이다'라는 것이다. 그만큼 현실의 실물경제에서는 예측할 수 없고 통제할 수 없는 변수가 너무 많다 보니 아무리 예측해도 틀리기 일쑤라는 것이다. 그래서일까. 경제학 교수 중에 부자가 없다는 웃픈 소리도 경제학을 공부한 사람들 사이에 회자되고 있다.

결국 내가 예측할 수 없는 필연적인 일들이 주사위처럼 나타나는 게 인생이라는 이야기다. 우리 인생을 주사위라고 한다면 내가 원하는 일은 기껏해야 6분의 1의 확률로 나타나고, 원하지 않는 일은 무려 6분의 5로 나타난다. 6분의 5는 스트레스를 받으며 살아야 할까. 답은 '그렇다'이다. 인생은 스트레스의 연속이다. 1대 5의 비율로 압도적으로 스트레스가 많은 일상을 우리가 살고 있다.

인생이 주사위라면 어떻게 살아야 할까. 답은 하나뿐이다. 적응하며 살아야 한다. 무슨 수가 나와도 놀라지 말고 '아, 이번에는 3이란 수가 왔구나!' 하고 받아들여야 한다. 이것이 수용, 'acceptance'다. 그러나 넋 놓고 수용만 하면 안 된다. 수용은 적응을 위한 첫 단계에 불과하기 때문이다. 적응하기 위해 수용을 하라는 것이지, 단지 수용만을 위해 수용하라는 것이 아니다. 수용 후에는 반드시 적응의 과정이 뒤따라야 한다. 모든 주사위 수는 각 숫자에 어울리는 적응법이 있다. 그것을 알아내는 것이 중요하다. 또 같은 수라 하더라도 언제 어떻게 나왔느냐에 따라 필요한 적응법이 다르다. 그래서 스트레스를 받게 되면 생각하기 좋은 때가 왔다고 보아야 한다. 생각하지 않으면 스트레스에 압도당해 괴로울 수밖에 없다.

갑자기 집에 불이 나 다 타버렸다고 하자. 얼마나 엄청난 스트레스 사건인가. 이럴 때 웃는다면 제정신이 아니다. 그렇다고 계속 스트레스만 받고 있어도 제정신이 아니다. 제정신은 처음에는 스트레스를 받더라도 마음을 잡아서 이제 어떻게 할 것인가를 생각하기 시작할 때 돌아온다. 불이라는 수가 인생에 나타났다. 견디기 어려울 만큼 괴롭지만 이것을 받아들일 수밖에 없다. 다른 방법이 없다. 받아들인 후 이 상황에 적응하며 묻는 것이 유일한 답이다. 인생 주사위를 받아들이면 스트레스가 줄어든다.

아픔에서 더 배우고 성장한다

수용 일곱,
인생은 가위바위보

심심할 때 아무런 도구 없이 할 수 있는 것이 가위바위보다. 가위는 보를 이기고, 보는 바위를 이기며, 바위는 가위를 이긴다. 간단해 보이지만 무수히 많은 수가 있어 누구나 즐거워하는 게임이다.

아들은 신기하게 가위바위보를 잘했다. 초등학교 때 반에서 여러 번 일등을 해서 경품도 타오곤 했다. 나도 아들과 가위바위보를 하면 번번이 졌다. 그런데 어느 날 아들이 시무룩해져 돌아왔다. 복병을 만난 것이다. 아무 생각 없이 툭툭 내던 친구에게 미리 수를 계산해 가위바위보를 하던 아들이 연거푸 맥없이 져버린 거다. 생각이 많은 아이에게 생각이 적은 아이는 밥이지만, 아예 생각이 없는 아이는 천적이라는 걸 그때 알았다.

언제나 누구에게나 가위바위보를 이기는 사람은 없다. 그래서 인생은 가위바위보다. 늘 승승장구할 수는 없다. 아무리 잘난 사람도 천적이 있고 더 잘난 사람을 만나게 된다. 오늘은 내가 1등이지만 내일은 네가 1등인 게 인생이다.

20년 넘게 상담을 하다 보니 인생이 가위바위보라는 것을 자연스럽게 알 수 있었다. 상담이라는 가위를 들고 있는 나에게 사람들은 관계의 어려움, 삶의 고통이라는 보를 들고 찾아온다. 내가 가위로 보를 이긴다. 그러나 모든 사람에게는 나를 가볍게 이기는 자신만의 주먹이 있었다. 어떤 사람은 나보다 훨씬 돈을 잘 버는 주먹을 가지고 있었고, 어떤 사람은 그림을 잘 그리는 주먹, 요리를 잘하는 주먹, 패션 감각이 뛰어난 주먹 등을 하나씩 가지고 있었다. 언제나 모두에게 이길 수 있는 가위는 존재하지 않았다. 그래서 상담을 하면 할수록 겸손해졌다. 초보 상담자 시절에는 내 가위 하나로 모든 사람과 가위바위보에서 이길 수 있다는 교만한 마음이 있었다. 하지만 이내 그것은 교만임을 깨닫게 되었다. 상담실이라는 작은 공간에서만 수줍게 보를 내미는 사람들. 그러나 훨씬 큰 주먹을 가지고 있는 사람들. 그런 사람들이 오는 곳이 상담실이요, 하는 것이 상담이었다.

고대 중국의 사상가 장자莊子는 천리마는 하루에 천리를 달리지

　　　　　　　　　　　아픔에서 더 배우고 성장한다

만 쥐를 잡는 데는 고양이만 못하다는 말로 인생이 가위바위보임을 한마디로 정리했다. 우리 사회가 스트레스 공화국인 것은 천리마에게도 고양이에게도 모두 달리기 시합을 시키기 때문이다. 누가 이길 것인가. 당연히 천리마가 시합에서 이긴다. 그러면 고양이는 뭐가 되는가. 패배자가 된다. 패배자가 된 고양이는 무엇을 받겠는가. 스트레스를 받는다. 그리고 열도 받는다. 고양이가 날마다 달리기 연습을 하는 광경을 상상해 보자. 달리면 얼마나 잘 달리겠는가. 번번이 천리마에게 질 수밖에 없다. 고양이는 더 큰 스트레스를 받게 되고 더 열 받게 된다. 그러다 어느 순간 열등감과 우울감으로 방에서 나오지 않는 은둔형 외톨이 고양이가 되어버린다. 이게 우리나라의 민낯이다.

달리기 성적 하나로 천리마와 고양이의 가치를 평가하여 모든 대우를 다르게 한다면 고양이는 어찌 살란 말인가. 획일적인 잣대로 너무나 다양한 고양이들을 도매금으로 넘긴다면 고양이들의 스트레스는 이루 말할 수 없이 클 것이다. 그때 고양이가 선택할 수 있는 것은 두 가지밖에 없다. 죽자고 달리기 연습을 해서 천리마 흉내를 내거나, 세상의 기준인 달리기를 접고 쥐 잡는 일로 눈을 돌려 쥐를 잡을 때에만 전력 질주 하는 것이다. 달리기를 선택하면 고양이는 평생 스트레스를 받으며 살기로 선택하는 것이다. 하지만 쥐 잡기를 선택하면 평생 스트레스에서 자유로운 삶을 살기로 선택하는 것이다. 우리 사회에서는 흔히 부모가 앞장서서 고양이 자식에게 달리기에 몰두하기를 요구한다. 그 결과 아주 극소수의 고양이와 천리마만 웃으며 달리기를 하고, 대부분의 고양이는 깊은 좌절감과 극도의 스트레스 속에 마지못해 달리기를 한다. 이것은 정상적인 사회가 아니다. 정반대의 경우도 있다. 천리마를 쥐 잡는 데 쓰려는 것이다. 이번에는 천리마가 깊은 우울과 극심한 스트레스를 받게 된다.

따라서 스트레스는 천리마를 쥐 잡는 데 쓰고, 고양이를 천리를 달리는 데 쓸 때 생기는 현상이다. 지금 내가 스트레스를 받고 있다면 혹시 내가 천리마인데 쥐를 잡는 데 마음을 쓰고 있지 않은지 살펴보아야 한다. 또 내가 고양이인데 천리를 달리는 데 내 에너지를 쏟고 있는 건 아닌지 돌아보아야 한다. 내가 잘하는 것은 의식하지 않아도 쉽게 하는 것이다. 억지로 애써도 잘되지 않는다면 이건 내 종목이 아니다. 그래서 스트레스에서 자유로워지고 싶다면 내가 천리마인지, 고양이인지부터 알아야 한다. 그리고 내 종목을 선택해 열심히 달려야 한다. 세상에 공짜는 없기 때문이다. 천리마도 자기 힘만 믿고 뛰기를 게을리하면 백 리도 달리기 어렵고, 고양이도 쥐 잡기를 멈추면 굶어 죽을 수밖에 없다.

우리나라 사람은 사람을 평가할 때 똑똑한가 아닌가를 가장 중요한 기준으로 삼는 경향이 있다. 그런데 내가 하는 상담은 사람을 똑똑함을 기준으로 평가하지 않고 따뜻한가 아닌가를 기준으로 바라본다. 그러면 전혀 다른 결과가 나오게 된다. 똑똑한 사람 가운데 차가운 사람이 많고, 똑똑하지 않은 사람 가운데 따뜻한 심성을 지닌 사람이 많다. 그렇다면 누가 나은 사람인가. 정답은 둘 다 나은 사람이다. 문제는 사람이 아니라 사람에게 적용하는 기준이다. 기준을 달리하면 인생은 언제나 가위바위보다.

인생이 가위바위보인 것을 받아들이면 두 가지 좋은 점이 있다. 하나는 겸손이고, 다른 하나는 용기다. 내가 항상 이길 수 없다는 걸 알기에 겸손해진다. 내가 항상 지는 것은 아니라는 걸 알기에 용기가 생긴다. 이것은 동전의 앞뒤처럼 함께하는 것이다. 어느 것이나 스트레스를 줄이는 데 도움이 된다.

수용 여덟,
어쩌다 좋은 것이 인생이다

한번은 평생 사회학을 가르치신 노교수님께서 재미있는 질문을 하셨다.

"옛날 우리 어머니나 할머니는 시집와서 시집살이도 하고 남편도 이기적이고 힘들었는데 이혼율이 낮고, 요즘 젊은 사람들은 결혼 후 시집살이도 덜하고 남편도 옛날에 비해 덜 이기적인데 왜 이혼율이 높을까요?"

머뭇거리며 대답을 못 하는 나에게 선생님이 말씀하셨다.

"여러 이유가 많겠지요? 그런데 말이에요. 내가 생각하기에 그 이유 중의 하나는 기대 차이가 아닐까 싶어요. 옛날 아내들은 결혼

아픔에서 더 배우고 성장한다

하면 '이제 죽었다' 이렇게 생각했단 말이죠. 그래서 시어머니 구박이 시작되고 남편이 밖으로 돌면 '그래, 드디어 시작하는구나. 내가 이럴 줄 알았다' 하고 마음을 비워버린다는 거죠. 그런데 요즘 사람들은 결혼하면 '살았다'고 생각하는 것 같아요. '이제 외로움과 괴로움이 끝나고 좋은 일과 행복만 있겠구나' 이렇게 생각한단 말이죠. 그런데 선생님도 결혼해서 살아보니 어때요. 아니잖아요. 좋은 일보다 힘든 일이 더 많잖아요. 그걸 못 견디는 거죠. 좋은 일만 있어야 하는데 이게 뭐냐 싶은 거죠."

결혼해서 살아보니 교수님 말씀이 딱 맞았다. 부부로 사는 것은 좋은 일보다 안 좋은 일이 훨씬 많았다. 웃을 일보다 얼굴 찡그릴 일이 훨씬 많았다. 아이를 낳아보니 기쁜 일보다 걱정되는 일이 훨씬 많았다. 그런데 왜 결혼하기 전에 아무도 이런 이야기를 해주지 않았을까. 불행 끝 행복 시작이란 환상만 심어준 것일까. 아이를 낳으면 방글방글 웃는 아기와 공원을 산책하고, 비행기 타고 제주도며 해외를 행복하게 여행하는 환상만 심어준 걸까. 아이를 키우는 일은 백 번 힘들어 울다가 아이 웃음 한 번으로 백 번의 괴로움이 씻겨 내려가는 일의 연속이었다. 인생이 고해라더니 결혼과 육아를 두고 하는 말이구나 싶었다.

결혼 생활만 그런 것이 아니었다. 중고등학교를 다닐 때는 학교만 졸업하면 즐거운 일이 가득할 줄 알았다. 아니었다. 대학교는 중고등학교보다 더 힘들었다. 중고등학교 때는 속상하면 부모와 싸움도 하고 원망이라도 할 수 있었는데 스무 살이 넘자 어디 원망할 데가 없었다. 모든 게 어른이 된 네 책임이라는 소리에 어깨가 무거워졌다. 학교 공부와 학점 따는 게 힘들어 군대에 갔더니 정말 감옥 같았다. 자유가 제한된 곳에서 별의별 사람과 부딪치고 살아가자니 3년이 30년처럼 길게 느껴졌다. 군대만 나오면 이젠 행복이겠다 했더니 밖은 울타리 없는 지독한 군대였다. 군대는 밥도 주고 재워주기라도 하지, 밖은 공짜가 하나도 없었다. 내 손에 땀을 흘리지 않으면 물 한 잔 공짜로 주지 않는 비정한 곳이 세상이었다. 살면서 언제 어딜 가나 무엇을 하나 웃을 일보다는 울 일이 항상 더 많았다. 결국 산다는 건 구름 낀 날이 대부분이고 어쩌다 맑은 날이 반짝 나타난다는 걸 알게 되었다.

그래서 나는 언제부턴가 내 마음대로 안 되는 좋지 않은 일이 생기는 걸 정상이라고 생각하기 시작했다. 그러자 안 좋은 일이 생길 때 받던 스트레스가 절반 이하로 떨어지는 신기한 경험을 하게 되었다. 정상적인 일이 일어났으니 당연하다는 생각이 들어서다. '원래 사는 건 안 좋은 일이 일어나는 거야. 이게 정상이야' 하고 의미 부여를 하자 똑같이 기분 나쁜 일도 스트레스를 받는 대신 담담해지는 것이다. 반대로 내 마음대로 일이 되고 좋은 일이 생기면 비정상이라고 생각했다. 그러자 좋은 일이 생길 때, 그런 생각을 하기

아픔에서 더 배우고 성장한다

전보다 훨씬 더 기분이 좋고 행복해졌다. 일어나기 힘든 일이 일어났다는 생각이 들었기 때문이다. 예를 들어 미세 먼지로 하늘이 뿌연 날을 생각해 보자. 옛날에는 뿌연 하늘에 짜증이 나고 스트레스를 받았다. 그런데 생각을 다르게 하기 시작하자 미세 먼지 낀 하늘을 보며 '할 수 없지 뭐. 이게 정상이지' 하고 담담하게 하늘을 바라보게 되었다. 어쩌다 하늘이 푸르게 맑으면 가슴이 뻐근해지며 '와, 이거 완전 비정상. 대박이다, 대박이야!' 하며 감탄하게 되었다.

일본 도쿄대 논술 고사에 얼룩말과 인생의 관계를 논하라는 문제가 나온 적이 있다. 가장 높은 점수를 받은 수험생의 답은 이랬다고 한다.

'얼룩말을 보면 흰 바탕에 검은 무늬가 있는지, 검은 바탕에 흰 무늬가 있는지 모르겠다. 세상도 착한 사람이 바탕으로 있고 가끔 나쁜 사람이 있는지, 나쁜 사람이 바탕으로 있고 가끔 좋은 사람이 있는지 모르겠다.'

하지만 나는 인생은 아무리 봐도 흰 바탕에 검은 줄이 아니라 검은 바탕에 흰 줄인 것 같다. 대부분 힘든 일이 바탕이 되고, 가끔 웃을 수 있는 좋은 일이 흰 줄무늬로 나타나는 게 인생이다. 그래서 흰 줄무늬가 나타날 때는 마음껏 즐거워하고 행복을 만끽하는 자세가 필요하다. 반대로 일상에서 늘 나타나는 힘들고 괴로운 바탕이 드러날 때는 담담하게 맞이하고 정상이로구나 하는 마음으로 사는 자세가 필요하다. 어떻게 하겠는가. 우리 인생 자체가 그런데.

나는 아들을 특별히 기대하지 않고 키웠다. 그랬더니 즐겁게 웃는 순간이 생각보다 훨씬 자주 왔다. 그리고 그때마다 너무 즐거웠다. 또 아내와 사는 결혼 생활도 특별히 기대하지 않고 살았다. 아들과 마찬가지로 아내와의 생활도 생각보다 웃는 순간이 많이 왔다. 이런 삶의 방식은 보통의 삶의 방식을 거꾸로 뒤집은 삶의 방식이라는 생각을 하며 나는 지금도 그렇게 살고 있다.

유튜브에서 부부 생활에 대해 강의할 때 '어쩌다 즐거운 것이 결혼 생활'이란 제목으로 이야기했더니 가장 큰 호응을 얻었다. 특히 결혼 생활을 하기 전보다 한 후에 강의를 들은 분들이 많이 공감했다. 어쩌다 좋은 것이 인생이라고 생각하고 살자. 그러면 스트레스가 나도 모르게 훨씬 줄어든다. 스트레스는 반으로, 기쁨은 배로 된다.

아픔에서 더 배우고 성장한다

2장.

C: Choose,
그래도
할 수 있는 것을
선택하라

더 나은 선택이
더 나은 삶을 만든다

이제 우리는 'Accept'를 의미하는 A가 새겨진 캐리어를 들고 비행기에 오르고 있다. 이 비행기의 이름은 'Choose'의 이니셜 C가 비행기 표면을 크게 장식하고 있는 C 비행기다.

비행기를 타기 위해 공항에 도착하자 우리를 기다리고 있는 것은 보안 검색대다. 지금 얼마나 스트레스를 많이 겪고 있는지 간단한 도구로 검사를 하고 있다. 캐리어를 보안 검색대에 넣고 검사지를 받아 들었다. 검사지에는 '지금 당신의 스트레스는 얼마나 됩니까?'라는 제목 아래 다음과 같은 설문 조사 문항들이 적혀 있다.

아픔에서 더 배우고 성장한다

아래 문항을 읽고 현재 귀하의 생활 상태에 해당하는 곳에 'ㅇ' 표시해 주십시오.

문항	내 용	예	아니요
1	언제나 초조한 편이다.		
2	쉽게 흥분하거나 화를 잘 낸다.		
3	집중력이 저하되고 인내력이 없어진다.		
4	건망증이 심하다.		
5	우울하고 기분이 침울하다.		
6	뭔가를 하는 것이 귀찮다.		
7	매사에 의심이 많고 망설여진다.		
8	일에 자신이 없고 쉽게 포기하곤 한다.		
9	뭔가 하지 않으면 진정이 안 된다.		
10	성급한 판단을 내리는 경우가 많다.		
11	숨이 막힌다.		
12	목이나 입이 마른다.		
13	불면증이 있다.		
14	편두통이 있다.		
15	눈이 쉽게 피로해진다.		
16	어깨나 목이 자주 결린다.		

C: Choose, 그래도 할 수 있는 것을 선택하라

문항	내 용	예	아니요
17	가슴이 답답해 토할 기분이다.		
18	식욕이 떨어진다.		
19	변비나 설사를 한다.		
20	신체가 나른하고 쉽게 피곤을 느낀다.		
21	반론이나 불평, 말대답이 많아진다.		
22	일에 있어 실수가 늘어난다.		
23	술을 점점 더 마신다.		
24	필요 이상으로 일에 몰두한다.		
25	말수가 줄어들고 깊게 생각에 잠긴다.		
26	말수가 많고 자기주장만 펼 때가 있다.		
27	사소한 일에도 화를 잘 낸다.		
28	복장 등 외모에 대한 관심이 없어진다.		
29	전화를 자주 걸거나 화장실에 자주 간다.		
30	가야 할 곳을 가지 않거나 약속 시간에 늦는 횟수가 증가한다.		

스트레스 진단 해석 지침

스트레스 척도SRE: Schedule of Recent Experience는 총 30문항이며, 스트레스 하위 요인별 문항 구성은 다음과 같다(진은영, 2006).

아픔에서 더 배우고 성장한다

스트레스 하위 유형	문항 수(개)	하위 문항(번)
정서적 영역	10	1 ~ 10
신체적 영역	10	11 ~ 20
행동적 영역	10	21 ~ 30
전체	30	1 ~ 30

- 정서적, 신체적, 행동적 영역 각각 10문항으로 각 문항은 "아니요" 0점, "예" 1점으로 측정되며, 각 영역에서 10점씩 총 30점으로 하고 점수가 높을수록 스트레스 정도가 높음을 의미한다.

- 각각의 영역에서 4점 이상이면 스트레스를 느끼는 상태이고, 7점 이상이면 심각한 스트레스를 느끼는 것으로 판별할 수 있다.

나의 스트레스 정도에 대한 보안 검색을 마치면 이제 드디어 기다리던 비행기에 탑승을 시작한다. 비행기에 탑승하여 캐리어를 머리 위 짐칸에 보기 좋게 넣고 자리에 앉아 설레는 마음으로 비행기가 이륙하기를 기다린다. 잠시 후 승무원이 맑고 낭랑한 목소리로 기내 안내 방송을 시작한다.

"스트레스를 스트렝스로 바꾸는 목적지를 향해 여행하게 된 여러분을 환영합니다. 본 항공기는 Choose의 이니셜을 딴 C 항공기로, 보다 나은 선택으로 스트렝스를 구현하는 최신 항공기입니다. 본 항공기에 탑승하기 위해 오랫동안 수용이라는 Accept 가방을 잘 싸주신 승객 여러분께 감사의 말씀을 드립니다. 그럼 잠시 후 이륙하도록 하겠습니다."

이제 기장이 비행기의 핵심 역할에 대해 직접 승객들에게 설명하는 시간이 이어진다. 기장의 설명을 요약하면 다음과 같다.

스트레스를 스트렝스로 바꾸기 위해서는 무엇인가를 해야 한다. 그 무엇은 선택을 통해 결정할 수 있다. 과거는 지나갔고, 내일은 오지 않았으며, 오늘은 무엇이든 선택할 수 있다. 스트레스를 더 큰 스트레스로 만드는, 과거보다 못한 선택을 할 수도 있고 스트렝스로 바꾸는, 과거보다 나은 선택을 할 수도 있다. 그래서 'Today is two day'다. 오늘은 항상 두 개의 선택 가운데 하나를 할 수 있는 날이기 때문이다. 스트레스뿐만 아니라 인생에서의 모든 일은 더 나은 선택이 더 나은 삶을 만든다.

더 나은 선택을 하기 위해서는 나를 이루는 요소를 기준으로 삼아야 한다. 나를 이루는 것은 크게 몸과 마음이다. 그리고 나를 둘러싼 관계가 나라는 존재를 만들고 있다. 따라서 몸이 하는 일을 선택하고, 마음이 하는 일을 선택하고, 관계가 하는 일을 선택해야

아픔에서 더 배우고 성장한다

한다.

몸은 몸 밖의 기관과 몸 안의 기관으로 나누어진다. 몸 밖의 기관은 내가 조정하고 통제하기 쉽다. 시각, 청각, 촉각, 미각, 후각이 여기에 속한다. 아름다운 곳을 찾아가 볼 수 있고, 좋은 음악을 골라 들을 수 있으며, 따뜻한 물에 발을 담글 수 있다. 또한 맛있는 음식을 먹을 수 있고, 기분을 좋게 해주는 향을 맡을 수 있다. 그뿐만 아니라 무용이나 걷기를 통해 몸 상태를 쾌적하게 만들 수 있다.

이에 비해 몸 안의 기관은 내가 조정하고 통제하기 어렵다. 내가 위나 간을 향해 '이렇게 해보라, 저렇게 해보라' 이야기해도 위나 간이 그대로 움직이지 않는다. 위나 간은 자기가 알아서 움직이고 아프고 회복하고 다시 움직이는 자율적인 기능을 한다. 내가 할 수 있는 것은 그러한 자율적인 기능을 더 건강하게 할 수 있도록 좋은 환경을 만들어주는 것뿐이다. 잠은 그런 활동이 원활하게 이루어지도록 몸의 좋은 환경을 만들어주는 대표적인 활동이다. 좋은 음식을 먹고, 좋은 공기를 마시며, 맑은 물을 마시고, 햇살 좋은 곳을 걷는 것도 내 몸 안의 기관을 더 건강하고 잘 회복하도록 하는 활동이다.

마음은 몸처럼 보이지도 않고 만질 수도 없어서 바꾸고 조정하기가 쉽지 않다. 그러나 마음은 실재하고 있고 몸 이상으로 중요하다. 예로부터 일체유심조一切唯心造라 하여 모든 것은 마음먹기에 달렸다는 말을 우리는 믿으며, 일상에서 마음을 어떻게 쓰느냐에 따라 건강도 행복도 좌우되는 경험을 무수히 하고 있다. 마음은 크게 감정과 생각으로 나누어지는데, 감정이 절반 이상의 큰 비중을 차지하고 나머지 부분을 생각이 차지한다. 스트레스는 감정이다. 버거운 일을 당하거나 앞으로 그런 일을 해야 할 때 생기는 부담감이 불편감, 짜증과 혼합되어 나타나는 감정이다. 그래서 감정 자체를 조정해서 줄이거나 늘리기는 어렵다. 감정은 현재의 마음 상태를 알려주는 온도계이기 때문에, 온도계 자체를 변경하기는 어렵다. 온도계의 온도를 결정하는 것은 바깥의 온도에 해당하는 생각이다. 그래서 생각의 온도를 변화시키면 자연스럽게 온도계의 온도가 내려가게 된다. 온도계의 온도가 내려가면 온도계를 품고 있는 몸이 더 쾌적하고 건강해진다. 그리고 이것이 스트레스의 감소를 통한 새로운 힘, 즉 스트렝스로 전환된다. 따라서 마음이 하는 일을 선택하는 것은 스트레스를 받았을 때 기존에 하던 생각과 다르게 하는 것이라 할 수 있다.

새로운 시선과 관점으로 스트레스를 바라보면 감정 온도계의 온도가 자동적으로 내려가게 된다. 온도계의 온도를 결정하는 리모트 컨트롤이 생각의 기능이다. 그러므로 새로운 시선과 관점으로 스트레스를 가져온 사건을 해석하고 이해하는 것은 스트레스를 스트렝스로 만드는 최고의 선택이다. 같은 일에 전혀 다른 해석이 필

아픔에서 더 배우고 성장한다

요한 이유가 여기에 있다. 날씨가 갑자기 추워져 힘들어하는 두 사람을 생각해 보자. 한 사람은 왜 갑자기 추워지냐는 생각으로, 추위로 인해 받은 스트레스를 더 큰 스트레스로 만든다. 또 한 사람은 겨울이 와서 춥구나 하고 생각해서, 추위로 인해 받은 스트레스를 가벼운 스트레스로 만든다. 그 결과 처음 받은 스트레스와 조금 가벼워진 스트레스의 차이만큼 마음의 힘, 즉 스트렝스가 생긴다. 같은 추위인데도 어떻게 받아들이고 해석하느냐에 따라 스트레스는 더 큰 스트레스로 전락하기도 하고, 더 약한 스트레스로 나아지기도 한다.

철학이란 동일한 사건에 대한 새롭고 근본적인 시선을 말한다. 아내에게 구속받는 것 같아 스트레스를 받는다는 남편에게 철학은 결혼이란 무엇인가를 질문할 수 있다. 철학이 던지는 근본적인 질문에 답하는 과정에서 남편은 아내의 구속에 대한 전혀 다른 시선을 가질 수 있다. 결혼이란 서로가 기꺼이 묶이겠다는 약속이라는 생각에 이르면, 아내의 구속이 문제가 아니라 결혼하지 않은 것처럼 살고 싶은 자신의 욕망이 문제라는 것을 알게 된다. 그렇다고 아내의 구속이 좋아지는 것은 아니다. 하지만 적어도 아내의 구속으로 힘들어하던 정도의 스트레스는 받지 않을 수 있다. 대신 그런 구속을 가져온 나의 실수나 잘못은 없는가로 눈을 돌려 아내에게 한 말과 행동에 대한 반성과 성찰을 할 수 있다. 그 결과 아내와 보내는 시간을 늘리고 같이 있는 시간 동안 더 따뜻한 말과 배려를 하여 아내의 마음을 편안하고 즐겁게 하는 선택을 할 수 있다. 이는 아내로 하여금 자신이 남편에게 바라던 것이 이루어지는 기쁨을 느끼게 하여 남편의 행동을 제약하던 기존의 방식을 바꾸게 할 수 있다. 구속이 줄어들면 이제 남편의 스트레스도 훨씬 줄어들고, 자신의 과거 잘못을 더 겸허히 받아들여 새롭게 부부 관계를 해나가면 처음 받았던 구속에서 오는 스트레스는 이제 부부 관계를 더 좋게 만드는 스트렝스로 바뀌게 된다. 이것이 생각 하나 바꾸어 스트레스가 스트렝스로 전환되는 원리다.

우리는 나를 이루는 몸과 마음이 하는 일을 선택하여 스트레스를 스트렝스로 바꿀 수 있다. 그리고 이런 우리와 우리가 만나는 관계도 선택하여 바꿀 수 있는 존재다. 관계는 우리 삶을 이루고 만드는 중요한 요소다. 특히 집단주의 문화가 세계에서 가장 강한 나라 가운데 하나인 우리나라는 관계에 살고 관계에 죽는다고 할 만큼 관계 중심 사회다. 스트레스도 따지고 보면 일에서 오는 것보다 일을 둘러싼 관계에서 오는 경우가 대부분이다. 직장을 그만두고 싶은 마음이 생기는 것은 일이 힘들 때보다 관계가 힘들 때가 훨씬 많다. 어떻게 관계를 맺어야 할지 생각하는 것부터 이미 스트레스의 시작이다. 특히 나를 힘들게 하는 사람을 어떻게 대하고 처신해야 할지가 스트레스를 스트렝스로 바꾸는 핵심 열쇠다. 내가 어떻게

아픔에서 더 배우고 성장한다

할 수 있는 몸과 마음을 지나 관계의 원리를 제대로 이해하는 것이
야말로 한국에서 스트레스를 덜 받고 스트레스를 스트렝스로 바꾸
며 살아가기 위한 필수 항목이라 할 수 있다.

선택 하나,
몸 밖을 선택하라

스트레스가 생길 때 몸 밖을 선택하는 것은 가장 빠르고 확실하게 스트레스를 스트렝스로 만드는 방법이다. 다음 세 가지 가운데 어떤 것이 가장 하기 쉬운지 생각해 보라. 눈물 흘리기, 인생에 대한 나의 생각 바꾸기, 주먹 쥐기. 무엇이 가장 쉬운가. 말할 것도 없이 주먹 쥐기다. 그냥 쥐면 된다. 그게 전부다. 행동은 이렇게 바로 실천으로 옮길 수 있다. 가장 어려운 것은 무엇일까. 아마 인생에 대한 나의 생각 바꾸기가 아닐까. 눈물은 억지로라도 슬프다고 마음 먹으면 흘릴 수 있다. 하지만 인생에 대한 생각은 그리 쉽게 바꿀 수 있는 것이 아니다. 즉, 몸 안의 생리적인 현상도 하기 어렵고, 머

아픔에서 더 배우고 성장한다

릿속 생각 바꾸기도 어렵다. 가장 쉬운 것은 몸 밖을 움직이는 행동이다. 따라서 몸 밖, 몸 안, 생각, 관계 가운데 스트레스를 스트렝스로 만드는 하나를 선택하라면 당연히 몸 밖을 선택하게 된다. 이제 몸 밖의 행동들을 만나보자.

몸 밖의 선택 1. 눈을 기쁘게 하라

마음이 천 냥이면 눈이 구백 냥이다. 그만큼 우리는 눈으로 보는 것을 좋아한다. 귀는 보수적이고 눈은 진보적이라 눈은 늘 보던 것에 싫증을 잘 내고 새롭고 아름다운 것을 찾아 이리저리 두리번거린다. 눈 호강을 시켜주면 스트레스가 줄어들고 스트렝스가 커진다. 코로나가 끝나면 무엇을 하고 싶으냐는 질문에 가장 많은 사람이 여행, 그중에서도 해외여행을 꼽은 이유는 눈 호강을 하고 싶어서다. 이국적이고 새롭고 멋진 곳을 보고 싶다는 마음이 가장 큰 것이다.

코로나가 시작된 후 'Music Travel Love'란 2인조 어쿠스틱 기타 밴드의 유튜브 영상을 자주 본다. 그들은 전 세계 이름난 아름다운 명소를 찾아 기타를 치며 아름다운 노래를 부른다. 노랫소리도 마음을 위로해 주지만 아름다운 배경으로 눈이 호강을 한다. 한 곡을 듣고 나면 머릿속이 맑아지고 가슴이 시원해진다. 새롭게 게시될 노래를 기다리는 맛도 쏠쏠하다.

조금 더 눈 호강을 시켜주려면 영화를 보는 것을 빼놓을 수 없다. 영화는 영혼을 울리는 힘을 가진 마법 같은 눈 호강 매체다. 나도 모르게 영화에 몰입하다 보면 스트레스가 저 멀리 달아나는 느낌에 놀라게 된다. 영화 치료가 예술 치료 가운데 대표 장르로 자리 잡은 지 오래다. 영화는 우리 인생의 축소판이다. 영화의 주인공이 되어 영화 속을 거닐다 보면 사람 사는 것이 거기서 거기라는 평범한 사실도 되새기게 된다. 또 특이한 생각과 행동으로 시선을 사로잡는 주인공을 만나면 나도 모르게 한 번쯤 살아보고 싶은 신비한 세계를 꿈꾸는 소년 소녀가 되기도 한다. 현실이 아니면서 더 현실 같은 영화는 우리의 지친 몸과 마음에 위안을 주고 스트레스를 감소시켜 준다.

영화가 스트레스를 감소시켜 주는 가장 큰 이유는 영화 속에서 내가 살아 숨 쉬기 때문이다. 사람 사는 것은 거기가 거기다. 비슷비슷하다. 그래서 나는 영화 속 주인공의 생각, 느낌, 행동 가운데 어느 한 조각을 가지고 있다. 그것이 내 안 깊이 잠들어 있던 또 다른 나의 생각, 느낌, 행동을 자극하여 숨 쉬게 한다. 그리고 영화 속으로 빠져들게 한다. 영화를 보면 웃음이 나고 눈물이 나는 것은 영화 장면 속에 나도 모르던 나의 모습이 묻어 있기 때문이다. 카타르시스가 생기는 것이 이 때문이다.

코로나로 극장을 찾는 것이 불안해진 사람들은 자기만의 모바

아픔에서 더 배우고 성장한다

일 기기를 이용해 넷플릭스 같은 비디오 스트리밍 서비스로 영화를 즐긴다. 1인 전용 극장을 가지기 시작한 것이다. 이 또한 눈을 기쁘게 하여 스트레스를 감소시켜 주는 유용한 방법이다. 하지만 뭐니 뭐니 해도 가장 간편하고 즐거운 눈 호강으로는 유튜브를 당할 것이 없다. 유튜브에 접속하여 내가 좋아하는 장르를 찾아 클릭하기만 하면 무료 영상이 눈앞에 펼쳐진다. 또한 다음에 접속하면 유튜브 알고리즘에 따라 내가 관심을 가지는 장르의 최신 업데이트된 영상들이 주르르 나타난다. 즐거운 선택이다.

지금은 영상 시대라고 불러도 좋을 만큼 수많은 매체에서 시각적인 기쁨을 선사한다. 내 눈이 좋아하는 것을 선택하여 눈 호강을 시켜주면 스트레스가 감소한다. 발품을 팔 듯 눈품만 판다면 스트레스는 스트렝스로 기분 좋게 넘어갈 수 있다.

몸 밖의 선택 2. 귀를 즐겁게 하라

온 세상이 음악으로 가득하다. 어른들은 〈미스터트롯〉으로, 젊은이들은 〈쇼미더머니〉로. TV 방송국마다 음악 경연 대회가 중계되고, BTS는 빌보드 차트 1위로 다이너마이트급 즐거움을 안겨주고 있다. 누구나 갈 수 있는 노래방도 지천에 널려 있다. 바야흐로 음악 없이 살 수 없는 세상이 되고 있다. 우리 몸에는 누구나 선율이 있고 비트가 있다. 그래서 음악은 우리를 위로하고 치유하며 흥이 나게 하고 전율케 한다.

내가 좋아하는 음악을 듣고, 내가 좋아하는 음악을 연주하고, 내가 부르고 싶은 노래를 부르면 위로를 받는다. 흥겨워진다. 이러한 위로와 흥겨움이 나의 스트레스를 감소시켜 준다. 또한 몸을 건강하게 만들어준다.

우리나라는 예로부터 가무歌舞에 능한 사람들이었다. 춤과 노래는 50년 주기로 이어지던 외세의 침략과 위정자들의 폭정이라는 엄청난 스트레스를 견디고 이겨나갈 수 있게 한 우리 민족의 스트레스 치료제였다. 그런 전통이 지금은 음악의 르네상스 시대로 나타나고 있다. 나도 크고 작은 스트레스를 받을 때면 늦은 밤 책상에 앉아 헤드폰을 끼고 음악 속으로 들어간다. 때로는 가슴이 울컥하고, 때로는 눈물이 흐른다. 음악을 듣고 잠을 청하면 가슴속 무거운 무엇이 빠져나간 듯 후련하고 가슴이 따뜻해진다.

중고등학교 때 가정불화와 경제적 위기로 자살 충동을 수시로 느꼈던 내 친구는 그때 자신을 살려준 것이 음악이었다고 한다. 그 후로도 그 친구는 틈만 나면 음악을 들으며 자신의 아픔과 슬픔을 위로하고 새롭게 힘을 내고 있다. 죽음의 문턱까지 간 사람도 살려내는 힘이 음악에 있다. 그래서일까. 대한민국 국민 가운데 가수가 아닌 사람이 있을까 싶을 정도로 우리는 어느 민족보다 음악을 사랑하고 좋아한다. 코로나로 힘들 때 우리를 견디게 해주고 웃게 해

아픔에서 더 배우고 성장한다

준 것은 〈미스터트롯〉 같은 음악 방송이었다. 시골에 계시는 어머니도 하루 종일 〈미스터트롯〉 방송을 틀어놓고 흥얼거리며 혼자 지내는 외로움을 달래고 새 활력을 얻어 코로나 시대를 하루하루 살아가고 있다. 귀를 즐겁게 하는 것은 강력한 스트레스 해소법이자 스트렝스 창조법이다.

몸 밖의 선택 3. 입을 행복하게 하라

입이 즐거우면 몸도 즐겁고 머리도 즐거워진다. 좋아하는 사람과 맛있는 것을 먹을 때만큼 행복한 순간이 또 있을까. 여기에 더해 멋진 창밖 풍경까지 있고 아름다운 선율의 음악이 흘러나온다면 금상첨화다.

맛집을 찾아 전국을 다니는 사람이 적지 않다. SNS에는 '이 집 최고예요', '너무 맛있어요' 같은 강추의 글들과 사진이 넘쳐난다. TV 프로그램에서 맛집을 소개하는 시간이 점점 늘어나고 있다. 요리 프로그램이 대세가 된 지는 오래되었다. 최고의 요리사들이 나와 요리법을 알려주고, 요리 경연 대회가 중계된다. 한 탤런트가 자신의 요리 비법을 연예인들에게 전수하기도 한다. 그것을 보며 시청자들도 즐거워한다.

맛있는 음식은 미식가들만 즐기는 것이 아니라 남녀노소 누구나 즐긴다. 맛있는 음식이 스트레스를 감소시키는 이유는 마음이 행복해지기 때문이다. 행복은 혀끝에 있다. 혀가 즐거워하면 가슴도 즐거워한다. 스트레스를 감소시키는 비결 가운데 하나는 맛있는 음식을 먹는 것이다. 맛있고 몸에 좋은 음식은 스트렝스를 기르는 보약이다.

몸 밖의 선택 4. 코를 황홀하게 하라

싸구려 향수는 없다. 있다면 가짜다. 향은 그렇게 가치 있는 것이다. 은은한 자연의 향도, 화려한 인공의 향도 우리의 코를 황홀하게 한다. 그리고 가슴 깊이 위안을 받고 행복을 맛본다. 스치며 지나가는 사람에게서 나는 향은 그 사람을 한 번 더 쳐다보게 만든다. 잠이 오지 않을 때 방 안에 퍼지는 재스민 향은 스르르 잠이 들게 한다. 스트레스 처방전으로 온갖 아로마테라피가 유행한 것은 이렇게 향과 스트레스가 깊은 관련이 있기 때문이다.

가장 좋은 향은 무엇일까. 그것은 내가 좋아하는 향이다. 아무리 남들이 좋다고 해도 내 코가 싫어하면 그만이다. 내 코가 좋아하는 향이 세상에서 제일 좋은 향이다. 그래서 새로운 향을 풍기는 향수가 끊임없이 만들어지고 있다. 모두가 좋아하는 그런 향은 없다. 각자의 취향이 가장 강하게 반영되는 것이 맛과 향이기 때문이다.

지금은 아동학대 신고가 들어오면 경찰이 담당하지만, 예전에는 아동보호 전문기관 실무자가 현장조사를 나갔다. 오랜 세월 현

아픔에서 더 배우고 성장한다

장조사를 한 분에게 들었는데, 현장에서 가장 먼저 만나게 되는 것은 냄새라고 한다. 코에 확 들어오는 냄새를 맡으면 '아, 이 집은 몇 년째 방임된 집이구나' 하는 느낌이 오고, 실제로 거의 들어맞는다는 것이다. 이것을 스트레스를 기준으로 본다면, 악취가 많이 날수록 스트레스가 많은 집이며 그 스트레스를 제대로 관리하지 못한 집이라고 할 수 있다. 스트레스의 정도가 악취의 정도와 비례하는 것이다. 그러므로 스트레스 받는다고 며칠 씻지도 않고 냄새를 풍긴다면 스트레스가 감소되기는커녕 더욱 커질 수밖에 없다. 귀찮더라도 씻어서 나의 냄새를 덜 나게 하는 게 조금은 더 향기로워지는 길이고 코에게 예의를 다하는 것이다. 코가 황홀해야 스트레스도 감소된다. 코를 즐겁게 하는 행동을 선택할 때 스트렝스도 커진다.

몸 밖의 선택 5. 몸을 따뜻하게 하라

우리 모두의 고향은 물이다. 어머니의 양수에 있었을 때가 가장 따스하고 행복했다. 모든 것을 공급받으며 아무런 위험이 없었다. 그래서 우리는 엄마 배 속에 있었던 상황과 가까워질 때 편안함을 느낀다. 어두컴컴한 방에서 푹신한 의자에 몸을 깊이 넣고 있으면 엄마의 배 속에 있는 것처럼 몸과 마음이 이완되고 안정된다. 목욕탕에 가서 욕조에 몸을 담그면 피로감이 해소되며 나른한 행복감이 몰려온다. 사우나나 온천탕에 와서 얼굴이 굳어지고 화내는 것을 아직 본 적이 없다. 모두 얼굴이 밝고 행복해 보인다.

양수와 같은 따뜻한 물을 욕조에 받고 몸을 담그는 것은 스트레스를 감소시키는 데 효과가 있다. 피곤한데 목욕이나 갔다 올까 하는 소리를 주위에서 자주 듣는다. 사람과의 관계로 스트레스를 받는 사람들이 많이 하는 행동이 아침 헬스장에서 땀을 빼고 근처 사우나로 가서 따뜻한 물에 몸을 담그는 것이다. 그러고 나면 몸에 있던 유독한 스트레스 하나가 쑥 빠져나간 듯 개운해진다. 물로 우리 몸을 따뜻하게 해주는 것은 스트레스를 감소시키고 스트렝스를 증가시키는 좋은 방법이다.

몸 밖의 선택 6. 발을 가볍게 하라

오늘날 유행하는 것 가운데 하나가 걷기다. 집 앞 한강 산책로에 아내와 함께 나가면 동네 사람들이 모두 나온 게 아닐까 착각이 들 정도로 많은 사람이 걷고 있다. 최근에는 두세 사람 가운데 한 명꼴로 반려견을 데리고 나와 걷고 있다.

걷기의 효과에 대해 실감한 적이 두 번 있다. 한 번은 장애로 걷지 못하는 후배에게서, 또 한 번은 강원도교육청에서 몇 년간 하고 있는 '나는 걷는다' 프로그램에서다.

뇌성마비 장애를 가진 후배는 휠체어를 타거나 목발을 짚고 다녔다. 그러다 보니 걷는 시간이 적었다. 형제처럼 지내는 사이라 며

아픔에서 더 배우고 성장한다

칠씩 후배 집에 머물곤 했는데 한 가지 궁금한 게 생겼다. 후배가 화장실에 거의 가지 않는 것이었다. 처음에는 변비인가 싶었지만, 그런 일이 몇 번 반복되자 일부러 참는 것 같기도 했다. 후배에게 왜 화장실에 잘 가지 않느냐고 물어보았다. 그러자 후배는 웃으며 이유를 설명해 주었다. 걸어야 장이 자극을 받아 배변을 하게 될 텐데, 걷지 않으니 장이 아무런 자극을 받지 않아 화장실에 갈 생각이 들지 않는다고 했다. 후배에게 그런 설명을 듣고서 내가 걸을 때와 걷지 않을 때 화장실에 가는 횟수와 결과를 비교해 보았다. 그랬더니 후배의 말이 맞는 것 같았다. 나는 그렇게 후배를 통해 소화하고 배변하는 데 걷는 것이 중요하다는 걸 배울 수 있었다. 그래서 나는 지금도 거의 매일 걷는 생활을 한다. 걷지 않으면 속이 더부룩해진다. 먹을 것이 들어와 소화가 잘되고 몸 밖으로 잘 나가면 몸이 가벼워지고 발이 가벼워진다. 그리고 스트레스도 자신도 모르게 조금 더 가벼워진다.

강원도교육청의 '나는 걷는다' 프로그램은 신선한 발상과 뛰어난 효과로 감동을 받았던 힐링 프로젝트다. 보호관찰소의 보호처분을 받은 비행 정도가 비교적 심한 중고등학생들을 처벌하지 않고 제주도 올레길을 일주일에서 열흘 정도 걷게 하는 프로그램이다. 한 팀은 멘토 한 명과 멘티 두 명, 즉 비행청소년 두 명으로 이루어진다. 하염없이 함께 걷다 보면 이런저런 이야기를 나누게 되고, 발에 물집이 생기는 등 어려움을 함께 나누며 끈끈한 정도 든다. 그러면서 서로의 속 이야기를 하게 되고 결속력도 커진다. '나는 걷는다' 프로그램을 마치고 돌아올 때쯤이면 형 동생으로 부를 정도로 서로 정이 들고 새롭게 살 마음도 생기게 된다. 나는 이 프로그램에 집단상담 진행자로 참여했다. 제주도로 떠나기 전 이틀 동안 처음 만나 서먹서먹한 멘토와 멘티를 서로 친하게 만들어주는 집단상담 프로그램을 진행했다. 그때 이 프로그램의 효과를 듣고서 이렇게 좋은 프로그램도 있구나 하고 감탄했었다. 멘토를 자원한 선생님들의 맑은 눈을 지금도 아름답게 떠올리곤 한다.

집에서 사랑받지 못하고 학교에서 환영받지 못하는 스트레스는 얼마나 큰 스트레스였을까. 그런 결핍과 상처를 비행으로 표출하던 아이들이 자신들의 마음을 헤아려주는 멘토와 긴 시간 함께 걷는 것은 아이들 마음 깊이 똬리를 틀고 있는 스트레스를 크게 감소시켜 주고 새로운 마음의 힘, 스트렝스를 키우는 좋은 계기가 되었다.

발을 가볍게 해주면 장도 가벼워지고 마음도 가벼워진다. 기분도 좋아진다. 그러면서 스트레스도 자신이 믿지 못할 정도로 가벼워진다. 스트렝스도 덩달아 커진다. 게다가 다이어트 효과도 있다. 걷기는 스트레스를 스트렝스로 바꿔주는 좋은 약이다.

선택 둘,
몸 안을 선택하라

몸 밖의 행동은 우리가 마음만 먹으면 그리 어렵지 않게 선택할 수 있다. 리모컨만 누르면 TV에서 세상의 아름다운 풍경을 볼 수 있고, 휴대폰만 누르면 아름다운 음악을 들을 수 있다. 조금만 몸을 움직이면 맛집에 갈 수 있고, 따뜻한 욕조에 몸을 담글 수 있으며, 둘레길과 올레길을 걸을 수 있다.

그러나 몸 안의 행동은 우리의 사정권 밖에 있다. 우리는 위와 폐를 어떻게 할 수가 없다. 위는 나의 통제권을 벗어나 있기 때문에 내가 아무리 위를 움직여 잘 소화시키려 해도 소용이 없다. 위가 알아서 움직이기 때문이다. 심장도 알아서 뛰고, 위도 알아서 소화하며, 간도 알아서 해독 작용을 한다. 우리가 할 수 있는 일은 직접 통제가 아니라 알아서 더 잘할 수 있도록 간접 지원을 해주는 것이다. 간접 지원을 통해 몸 안의 장기들이 자기 일을 잘할 수 있게 하면 장기들이 고마워하며 스트레스를 감소시켜 주고 스트렝스를 강화시켜 주는 일을 기꺼이 해준다. 이제 몸 안의 장기들을 간접 지원하는 일들을 하나씩 살펴보자.

네 가지가 들어와 네 가지가 나간다

살면서 만나는 인연 가운데 으뜸 인연은 지혜로운 사람과의 만남이다. 사람을 직접 만나는 경우도 있고 책을 통해 만나는 경우도 있다. 여러 해 전 만난 김명호 한의원 원장의 《생각으로 낫는다》라는 책은 나의 삶을 새로운 삶으로 만들어준 고마운 책이다. 그 책에서 김명호 원장은 우리 몸 안으로 네 가지가 들어와 네 가지가 나간다는 원리를 친절하게 알려주었다. 우리 몸 밖에서 몸 안으로 들어오는 네 가지는 고체, 액체, 기체, 열이다. 그리고 몸 안에서 몸 밖으로 나가는 네 가지도 역시 고체, 액체, 기체, 열이다.

몸 밖에서 안으로 들어오는 고체는 밥, 빵, 반찬처럼 고체로 된 물질이다. 이것이 몸 안으로 들어오면 몸에서 해독하고 소화하여 필요한 것은 흡수하고, 필요 없는 찌꺼기는 장을 거쳐 밖으로 내보낸다. 몸 안에서 몸 밖으로 나가는 것은 대변이다. 가끔 토하는 것

아픔에서 더 배우고 성장한다

으로 내보내기도 한다. 다음으로 액체는 물, 술 등의 음료를 말한다. 이것 역시 몸 안으로 들어와 해독, 소화, 흡수, 배출의 과정을 거쳐 몸 밖으로 나간다. 소변과 땀이 그것이다. 다음으로 기체는 공기로 들어와 호흡 과정을 거쳐 방귀나 트림으로 나간다. 마지막으로 햇볕을 통해 들어온 열은 온몸을 따뜻하게 해주고, 과한 열은 땀을 통해 밖으로 배출된다. 그러므로 이 네 가지 들어오는 것을 좋게 해주면 속도 편해지고 나가는 것도 편해진다. 이 과정에서 스트레스도 감소하고 스트렝스도 강화된다.

몸 안의 선택 1. 천천히 꼭꼭 씹어라

들어오는 네 가지 가운데 첫 번째는 고체다. 고체는 딱딱한 것으로 음식 가운데 밥이나 빵, 면 같은 것이 대표적이다. 고체를 몸 안으로 넣어주는 방법은 선택할 수 있다. 몸 안의 장기가 가장 좋아하는 방법을 선택해서 넣어주면 몸 안이 좋아하고 편안해한다. 가장 권장하고 싶은 방법은 천천히 꼭꼭 씹어 먹는 것이다.

집단상담을 하다가 일흔넷의 나이에도 불구하고 허리가 꼿꼿하고 얼굴 표정이 젊은이 같은 어르신을 만났다. 건강하신 것 같다는 말에 지금도 병원에 가서 건강검진을 하면 서른 살은 더 젊게 건강한 상태로 나온다고 했다. 비결이 뭐냐고 물었더니 '꼭꼭 씹어 먹는다'라는 말이 돌아왔다.

이 어르신이 꼭꼭 씹어 먹게 된 것은 중학생 때 위가 아래로 내려가는 위 처짐으로 고생을 하면서부터다. 그림을 곧잘 그려 들어간 미술부에서 그는 선배들과 함께 냉면을 많이 먹었다. 많을 때는 혼자 하루에 여덟 그릇도 비웠다. 어느 날 속이 안 좋아 병원에 갔다가 위가 아래로 내려가는 위 처짐 진단을 받았다. 이후 무슨 약으로 치료를 해도 낫지 않아 고생하던 중 동네 어른 한 분이 지나가는 말로 '꼭꼭 씹어 먹으면 낫는 수가 있다더라'라고 말해주었다. 밑져야 본전이라는 심정으로 천천히 꼭꼭 씹어 먹기 시작했더니 위 처짐 증세가 깨끗이 나았다. 효과에 놀란 그는 이후 천천히 꼭꼭 씹어 먹는 습관을 들였다.

신기한 것은 그 어르신이 한 번도 소화불량으로 고생한 적이 없고, 치아가 아직 10대처럼 멀쩡하며, 감기 몸살 한 번 걸리지 않고 일흔 넷을 지나고 있다는 것이다. 그뿐만 아니라 나이가 들면 미각도 많이 사라져 맛을 잘 모른다는데 절대 미각을 가지고 있어 친구들이 자신을 많이 부러워한다는 것이다.

그러면서 깨닫게 된 것이 '위에는 이가 없다'는 사실이라고 한다. 소화를 담당하는 우리 위에는 씹는 이가 없다. 그래서 급하게 삼킨 고깃덩어리나 과일을 소화시키기 위해 여간 고생을 하는 게 아니다. 소화불량과 위장병이 생기기도 한다. 그러나 먼저 입 안의 이로 맷돌로 콩을 갈 듯 음식을 꼭꼭 씹어 위로 보내면, 위는 적당

아픔에서 더 배우고 성장한다

한 소화 효소를 내보내고 부드럽게 연동 운동을 하며 편안하게 소화시킬 수 있다. 그렇게 분해된 영양분은 몸의 곳곳으로 보내지고 찌꺼기는 안심하고 소장과 대장으로 내보낸다. 이런 과정은 몸 안의 장기들을 편안하고 즐겁게 움직이도록 해준다. 그 결과 속이 깨끗하고 건강한 상태를 유지하여 몸 바깥의 피부도 반짝이고 오장육부도 튼튼해진다.

이 어르신과 함께 점심을 먹으러 갔는데 30분 동안 정말 천천히 꼭꼭 씹어 드시는 것이었다. 옆자리의 사람들은 채 5분이 걸리지 않아 후루룩 먹고 일어나는데 그분은 느긋하고 즐겁게 밥과 반찬을 드셨다. 그 후 나는 그 어르신을 따라 해보려고 천천히 꼭꼭 씹어 먹기 시작했다. 하지만 작심삼일이라고 딱 사흘 만에 다시 예전의 급히 대충 먹는 일상으로 돌아왔다. 그러다 올해 당뇨와 과체중으로 고생을 하면서 문득 어르신의 이야기가 떠올랐다. 다시 모든 음식을 천천히 꼭꼭 씹어 먹기 시작했고, 불과 몇 달 만에 몸무게가 10킬로그램 줄어들었다. 기적이었다. 혈당도 170mg/dL에서 110mg/dL로 떨어져 정상에 가까워졌다. 단지 천천히 꼭꼭 씹어 먹었을 뿐인데 온몸이 극적으로 좋아졌다. 몸이 가벼워지자 어지간한 스트레스에도 웃음이 나왔다.

천천히 꼭꼭 씹어 먹기 위해 내가 선택한 방법은 젓가락 다이어트다. 젓가락 다이어트 방법은 간단하다. 반찬 하나를 젓가락으로 집어 입 안에 넣으면 젓가락을 내려놓는 것이다. 젓가락을 내려놓으면 지금 입 안에 있는 것을 모두 씹어 넘길 시간이 생긴다. 그런데 젓가락을 들고 있으면 마음이 급해져 젓가락이 다른 반찬으로 향하게 되고 입 안의 음식은 대충 씹어 삼키게 된다. 그래서 젓가락을 내려놓는 것이다. 주위에 빨리 먹는 사람을 가만히 보라. 젓가락을 내려놓지 않는다. 젓가락을 들면 거의 내리지 않고 밥을 다 먹은 후에야 내려놓는다. 그러면 아무리 천천히 꼭꼭 씹어 먹기로 결심을 해도 성공할 수가 없다. 나도 처음에 며칠 하다 실패한 이유는 젓가락을 그대로 들고 천천히 먹으려 했기 때문이었다.

젓가락 다이어트의 이점은 별다른 노력이 필요 없다는 것이다. 식단을 바꿀 필요도 없고 양을 특별히 줄일 필요도 없다. 젓가락만 들었다 놨다를 반복하면 된다. 그것이 전부다. 그러다 보니 숱한 다이어트를 해도 나타나는 요요 현상이 나타나지 않고 있다. 살을 뺀 지 다섯 달이 되었는데도 다시 살이 찌지 않고 있다. 몸은 여전히 쾌적하다. 그래서 나는 젓가락 다이어트를 평생 지속할 생각이다.

내가 위와 장을 움직일 수는 없지만 위와 장이 편안하게 움직이도록 도와줄 수는 있다. 위에는 이가 없으니, 입 안에 있는 이로 천천히 꼭꼭 씹어 음식을 위로 인계해 주면 된다. 그것이 스트레스를 줄인다.

아픔에서 더 배우고 성장한다

우리 몸 안으로 들어가는 두 번째는 액체다. 액체의 대표는 물이다. 몸의 70%가 물이다 보니 어떤 물을 마시느냐는 어쩌면 어떤 고체 음식을 먹느냐보다 더 중요하다. 그래서 좋은 물을 마시면 몸 안의 장기도 더 건강해지고 스트레스도 줄어들게 된다.

좋은 물이란 어떤 물일까. 그것은 기분 좋게 마시는 물이다. 백화점에 가면 한 병에 몇천 원씩 하는 비싼 물도 있다. 하지만 물을 마실 때는 마음이 더 중요한 필터 역할을 한다.《물은 답을 알고 있다》라는 책을 보면, 물 분자 결정이 물을 마시는 사람이 하는 말에 따라 일그러지기도 하고 꽃처럼 아름다워지기도 한다. 이것이 과학적으로 얼마나 신빙성이 있는지는 알 수 없지만, 살아가면서 그럴 수 있겠다고 느끼는 순간은 의외로 많다.

지친 일상을 뒤로하고 모처럼 오른 산의 계곡에서 마시는 약수터 물은 꿀맛이다. 물 자체도 좋겠지만 좋은 공기와 일상에서 벗어났다는 해방감이 주는 좋은 기분이 합해져 정말 청량하고 맑은 물맛을 느끼게 해주기 때문이다. 그런데 같은 약수터 물이라도 싫어하는 사람과 함께 가서 마시는 물맛은 전혀 다르다. 기분이 좋지 않기 때문에 아무리 좋은 물도 좋다는 느낌이 들지 않는다.

한번은 산기슭에 있는 숯가마에 갔다가 노부부의 대화를 들은 적이 있다. 숯가마에서 땀을 빼고 나면 갈증이 생긴다. 그 숯가마에서는 산에서 내려오는 물을 큰 물통에 담아 약수터처럼 바가지를 몇 개 걸어두고 목마른 손님들이 마시도록 해두었다. 할머니가 먼저 시원하게 물을 마시고 옆에 있던 할아버지에게 말했다.

"이게 그렇게 몸에 좋대요. 약수예요. 한잔 마셔봐요."

할아버지가 퉁명스럽게 말했다.

"이게 무슨 놈의 약수야 약수는. 그냥 산에서 내려오는 물이지!"

그러자 할머니가 되받아쳤다.

"아, 약수라면 약수인 줄 알고 마셔요!"

그날 할머니는 좋은 물을 마셨고, 할아버지는 그저 그런 물을 마셨다. 물이 문제가 아니라 물을 대하는 마음이 좋은 물과 그저 그런 물을 만드는 비결이었다.

집에서 마시는 한 잔의 물도 기분 좋게 마시면 좋은 물이 된다. 물 종류보다 더 중요한 것은 어떤 마음으로 마시느냐다. 좋은 물을 마시면 속도 좋아지고 스트레스도 이완된다.

몸 안의 선택 3. 길게 숨을 들이마시고 길게 내쉬어라

명상이 스트레스를 감소시켜 준다는 많은 연구 결과가 있다. 명상을 하며 잡념 없이 맑은 정신을 유지하기 위해서는 들숨과 날숨을 잘 쉬는 것이 필수적이다. 명상의 핵심은 호흡인 것이다. 호흡은 몸 밖의 기체를 몸 안으로 받아들이고, 몸 안의 기체를 몸 밖으로 내보

아픔에서 더 배우고 성장한다

내는 일이다. 나도 명상을 배우고 싶어 여기저기 물어보았지만 호흡하는 게 쉽지 않았다. 그러던 중 우연히 쉬운 방법을 하나 발견했다. '3333' 호흡법이다.

머릿속으로 셋을 헤아리며 코로 숨을 들이마신다. 코로 숨을 마시는 이유는 코에 먼지 필터가 있기 때문이다. 입에 입털이 없고 코에 코털이 있는 이유가 무엇이겠는가. 콧속에 털이 있는 이유는 코털이 먼지를 걸러내는 필터 역할을 하기 때문이다. 그러므로 숨은 코로 들이마신다. 먼지가 일차로 걸러진다. 코로 들어온 숨은 목을 통해 안으로 들어간다. 이제 다시 머릿속으로 셋을 헤아리며 숨을 안에 머물게 한다. 얼마나 오래 머물게 하느냐는 각자의 폐활량에 따라 다르다. 건강상의 이유로 숨을 오래 참을 수 없다면 다다닥 빠르게 셋을 헤아리면 된다. 마지막으로 머리로 셋을 세며 입으로 참았던 숨을 내쉰다.

이 과정을 세 번 반복한다. 그러면 어깨가 뚝 떨어지며 긴장이 풀리고 몸이 기분 좋게 나른해진다. 바깥의 좋은 기체가 들어오고 몸 안의 나쁜 유독 스트레스 기체가 밖으로 훅 나가는 것 같다.

3333 호흡법. 셋 세고 들이마시고, 셋 세며 머물게 하다가, 셋 세고 내쉰다. 이것을 세 번 반복한다. 이 호흡법의 장점은 쉽다는 것이다. 언제 어디서나 할 수 있다. 까다로운 규칙이 없기 때문에 아무 부담 없이 편하게 할 수 있다. 공기가 좋은 곳에서 좋은 공기

를 몸 안으로 보내거나, 공기가 다소 탁하더라도 걸러 몸 안으로 보내면 몸 안의 장기가 더 편안해하고 즐거워한다. 그리고 그것이 스트레스를 줄이고 스트렝스를 크게 해줄 수 있다.

몸 안의 선택 4. 햇살 맑은 곳으로 여행하라

여행은 몸 안의 장기를 편안하고 즐겁게 만들 수 있는 종합 선물 세트다. 여행 안에는 좋은 음식, 좋은 물, 좋은 공기, 따스한 햇살이 모두 들어 있다. 몸에 들어가는 네 가지가 모두 좋은 곳으로 우리는 떠나고 싶어 하고, 실제로 여행은 그런 곳으로 가기 때문이다. 한동안 '수고한 당신, 떠나라'라는 광고 카피가 유행했다. 다른 말로 하자면 '스트레스 받은 당신, 떠나라'는 말이다. 스트레스 해소에는 어딘가로 훌쩍 떠나는 여행만큼 좋은 것이 없다. 멀리 떠나는 것은 나에게 가까이 다가가는 것이다. 평소 보지 못했던 나의 꿈, 욕망을 민낯으로 볼 때 신선한 기쁨이 내 안에서 솟아난다. 또한 나에 대한 또 다른 통찰로 내 삶이 크게 변화하는 계기를 맞을 수도 있다.

여행은 몸 안의 기능을 편안하게 해줄 뿐만 아니라 몸 밖의 감각도 즐겁게 해주어 스트레스를 감소시키는 데 큰 기여를 한다. 색다른 풍경과 새로운 음식, 새로운 사람들은 몸 밖의 감각을 기분 좋게 흥분시키고 몸을 가볍게 만들어준다. 남은 인생 동안 꼭 하고 싶은 버킷 리스트를 물어보면 많은 사람이 세계 여행이나 국내 여행을 든다. 그것은 그만큼 여행을 통해 스트레스를 해소하고 새로운 기분으로 일상을 맞이한 경험이 많기 때문이다.

햇살 맑은 곳으로 떠나는 여행은 우리 몸 밖에서 들어오는 네 번째 요소, 열을 기분 좋게 우리 몸 안으로 넣어준다. 그것은 우리의 스트레스를 감소시키고 스트렝스를 강화한다.

선택 셋,
생각을 선택하라

스트레스는 감정이다. 감정은 생각의 자식이다. 따라서 어떤 생각
을 하느냐에 따라 태어나는 스트레스의 색깔과 강도가 달라진다.
때로는 생각 하나로 스트레스 받을 일에 받지 않을 수 있고, 받지
않을 일에 받기도 한다.

　앞에서 살펴본 몸 밖의 선택과 몸 안의 선택은 스트레스를 감소
시키는 간접적이고 우회적인 방법에 불과하다. 스트레스 사건 자체
를 직시하여 바로 해결하는 열쇠는 뭐니 뭐니 해도 생각에 달려 있
다. 스트레스를 감소시키고 스트렝스를 강화하는 가장 중요한 열쇠
는 스트레스 받는 사건을 바라보고 해석하는 생각에 달려 있다. 어

떤 생각을 선택할 것인가에 따라 스트레스의 진행 방향이 달라진다. 이제 스트레스를 감소시키는 역할을 하는 생각을 살펴보도록 하자.

생각의 선택 1. 다른 각도로 바라보라

어느 날 선배와 커피숍에 갔다. 한쪽 팔이 짧은 사람이 커피숍 안으로 들어왔다.

"형, 저 사람 한쪽 팔이 짧아!"

그러자 선배가 나를 가만히 보다가 한마디 했다.

"야, 너 그래서 어떻게 상담을 하냐? 이럴 땐 저 사람 한쪽 팔이 길다고 해야지!"

뒷머리를 망치로 한 대 맞은 것처럼 머리가 얼얼하고 정신이 번쩍 들었다. 이후로 나는 의도적으로 어떤 일이든 다른 각도로 바라보는 연습을 하고 있다. 그리고 이것은 스트레스를 감소시키고 스트렝스로 바꾸는 나의 노하우가 되었다.

한번은 회사 영업 사원이 상담을 와서 스트레스를 호소했다. 밖에서 영업하느라 힘들어 죽겠는데, 집에 들어가면 아내가 그날 있었던 일들을 묻는 통에 피곤이 가중되고 스트레스를 받는다며 좋은 해결책이 없겠느냐고 물었다. "제가 집에서도 영업해야겠냐고요!"라는 말을 반복했다. 순간 나는 반대말이 떠올랐다. 그래서 그에게

"밖에서도 영업하는데!"라고 말해주었다. 그는 잠시 어안이 벙벙한 표정으로 나를 쳐다보았다. 내가 덧붙여 말했다.

"밖에서 생판 모르는 사람한테도 잘해주고 영업하는데, 함께 사는 가장 친한 사람인 아내한테는 어떻게 해야 할까요?"

그는 잠시 침묵에 잠기더니 한숨을 쉬며 "생각해 보니 맞네요. 하아, 밖에서도 영업하는데……" 하고 쓴웃음을 지었다. 집에서도 영업해야겠냐며 스트레스를 받던 그는 '밖에서도 영업하는데'라는 다른 각도로 상황을 보게 되자 스트레스가 줄어들었다. 그뿐만 아니라 아내에게 좀 더 잘해야겠다는 스트렝스까지 생겨 상담을 마치고 집으로 돌아갔다.

몇 년 전에는 방에서 게임만 하고 밖으로 나오지 않는 30대 아들 걱정에 눈물 마를 날이 없는 부모가 상담을 왔다. 부모는 아들을 밖으로 나오게 할 방법이 없겠느냐고 하소연했다. 학교와 군대에서 마음의 상처를 크게 입어 20대 중반에 자기 방으로 들어간 후 나오지 않고 있다고 했다. 나는 부모에게 그 좋은 곳에서 왜 나오게 하려고 하느냐고 물었다. 두 눈이 휘둥그레진 부모가 그게 무슨 말이냐고 물었다. 내가 말했다.

"아무도 상처를 주지 않고 안전하고 편안하고 재미있는 그 방에서 왜 나와야 하느냐는 거죠. 아드님은 지금 세상 문을 닫고 들어간 게 아니라 안전하고 편안하고 즐거운 새로운 세상 문을 연 겁니다."

아픔에서 더 배우고 성장한다

내 말에 부모는 할 말을 잃고 서로를 쳐다보았다. 한참 후에 아버지가 말했다.

"선생님 말씀을 듣고 보니 정말 아들 입장에선 그렇겠습니다. 제가 제 입장만 생각하고 미처 아들 마음은 헤아리지 못했네요. 방에 들어간 것만 못마땅해했지 얼마나 괴로웠으면 그랬을까는 깊이 생각하지 못하고 막무가내로 나무라기만 했던 것 같습니다. 아비로서 그렇게 처신한 게 부끄럽습니다."

방에 틀어박혀 나오지 않는 아들을 세상의 눈으로만 바라보던 부모에게 전혀 다른 각도인 아들의 눈으로 바라보게 한 결과, 부모는 전혀 다른 마음으로 아들을 생각하게 되었다. 그리고 아들에 대한 스트레스가 줄어들고, 새롭게 아들에게 다가갈 마음의 힘, 스트렝스가 생겼다. 다른 각도로 바라본 힘 덕분이다.

다른 각도로 바라본다는 것은 없던 것을 만들어내는 것이 아니다. 있었지만 감추어져 있던 것을 발견해 내는 것이다. 다른 각도로 바라보기 위해서는 관심을 가지고 잘 관찰하는 눈을 가져야 한다. 사람들은 일에서 그림자를 바라보는 습성이 있다. 그런데 모든 일은 그림자 반대편에 반드시 빛이 있다. 그 빛을 찾아내는 것이 다른 각도로 바라보는 것이다. 선배가 한 말처럼 팔 한쪽이 짧은 사람은 다른 쪽이 긴 사람이다. 사람들은 대부분 나처럼 짧은 팔에 주목하고 한쪽 팔이 짧다고 이야기한다. 이는 그림자를 바라보는 눈을 가졌다는 것이다. 그러나 선배는 그 사람에게 관심을 가지고 관찰한 결과 짧은 팔 반대쪽에 긴 팔이 있음을 발견할 수 있었다. 그래서 한쪽 팔이 더 길다고 이야기한 것이다.

이런 예는 조선 명종 때의 재상 상진尙震의 일화에도 있다. 다리를 절뚝이며 오는 사람을 보고 어떤 사람이 "저 사람 한쪽 다리가 짧구나" 하고 말하니, 상진이 "그럴 땐 저 사람 한쪽 다리가 길다고 이야기해야 하는 거네" 하고 다시 고쳐 말해주었다. 이 역시 다른 각도로 상황을 보고 말한 것이다.

남뿐만 아니라 내가 어렵고 힘든 일을 겪을 때에도 다른 각도로 바라보면 스트레스가 감소된다. 교수직을 그만두고 프리랜서로 그럭저럭 강의와 상담으로 살아가다 코로나를 만났다. 강의와 상담이 모두 취소되면서 수입이 바닥으로 내려앉았다. 아내도 나도 심한 스트레스를 받았다. 당장 수입을 늘릴 방법이 없었다. 그렇다고 스트레스에 주저앉을 수도 없었다. 나는 반대 면을 생각했다. 집에 있는 지금이야말로 아내와 가까워질 수 있는 시간을 선물 받은 것이라 생각하고, 아내와 함께 돈이 들지 않으면서 사이가 더 가까워질 수 있는 방법을 찾아냈다. 그것은 산책이었다.

하루에 두 시간씩 아내와 집 근처 한강 변을 걸었다. 두런두런 이야기를 하노라니 다시 신혼이 된 듯 정겨웠다. 돈을 벌러 이곳저곳으로 다닐 때는 상상도 할 수 없었던 여유와 달콤함이 매일 걷는

아픔에서 더 배우고 성장한다

두 시간 동안 우리 부부의 마음에 흘렀다. 걷다 보니 다이어트도 되었다. 수입이 줄어 외식하지 않고 집에서 몇 가지 반찬으로 소식을 하니 건강도 더 좋아졌다. 돈을 빼면 모든 것이 간소화되고 소박해지고 건강해지고 더 행복해졌다. 수입의 감소라는 커다란 스트레스는, 반대 면을 보고 부부 관계 향상에 힘쓰니 돈을 잘 벌 때보다 더 큰 기쁨이 찾아왔다. 스트레스가 스트렝스로 자연스럽게 변화한 것이다.

가을로 접어들면서 온라인 강의와 상담이 활성화되며 다시 여기저기서 강의와 상담을 하게 되어 수입이 늘어나기 시작했다. 이제는 수입이 늘어난 것이 스트렝스가 되었다. 결과적으로 수입이 줄어들었을 때는 다른 각도로 상황을 바라보아 스트레스를 스트렝스로 바꾸었고, 형편이 나아지자 더 큰 스트렝스가 생겼다고 할 수 있다. 코로나를 견디고 버티면서 나는 한 번 더 다른 각도로 상황을 바라보는 것이 스트레스를 감소시키는 데 얼마나 도움이 되는지 확인할 수 있었다.

자녀가 나이가 많은데 아직 결혼을 하지 않아 걱정이라는 부모를 만나면 자녀가 자유로워서 얼마나 좋으시냐고 다른 각도로 이야기해 준다. 또 너무 일찍 결혼한 자식이 고생한다고 하면 일찍 안정을 찾고 훗날 손주가 빨리 자라니 얼마나 좋으시냐고 이야기해 준다. 그림자를 보던 사람의 고개를 돌려 빛을 보게 해주는 것이다.

그럴 때면 다들 왜 내가 여기 있는 이 빛을 보지 못했을까 하는 표정으로 기뻐한다.

우리는 어려워서 어려워하는 경우보다 어려워질 면을 바라보아 어려워하는 경우가 더 많다. 반대 면으로 고개를 돌려 다른 각도로 바라보면 이 일은 어려워할 일이 아니라 힘을 내야 할 일임을 알게 된다. 한번은 딸은 지능이 떨어져 걱정이고 아들은 너무 영악해서 걱정이라는 어머니에게 딸은 순수해서 좋고 아들은 공부를 잘해서 좋지 않냐고 했더니 "정말 그러네요" 하며 즐거워했다. 한 번만 고개를 돌려 다른 각도로 바라보면 걱정이 웃음으로 바뀌는 게 인생이다.

고대 철학자 에픽테토스는 모든 것에는 두 개의 손잡이가 있다고 했다. 이때 두 개의 손잡이는 두 개의 다른 시선을 의미한다. 같은 문에 두 개의 손잡이가 있다면 이 손잡이를 잡을 수도 있고 저 손잡이를 잡을 수도 있다. 한쪽 손잡이의 이름은 그림자이고, 다른 쪽 손잡이의 이름은 빛이다. 어느 손잡이를 잡을지는 나의 선택에 달려 있다. 그런데 왜 많은 사람은 빛의 손잡이를 잡지 않고 그림자의 손잡이를 잡는 것일까.

그 이유는 살면서 빛의 손잡이를 잡는 사람을 경험한 적이 거의 없기 때문이다. 다르게 말하자면 다른 각도를 보고 말하는 사람을 거의 만나지 못했기 때문이다. 우리는 자라면서 야단을 맞는 데 익

아픔에서 더 배우고 성장한다

숙한 사람들이다. 뭘 잘했다고 칭찬하는 사회가 아니라 뭘 잘못했다고 야단치는 사회가 우리 사회다. 야단에 후하고 칭찬에 박한 사회다. 그것은 자랄 때 집에서도 그렇고 학교에서도 그렇다. 또 직장에 가서도 야단을 맞는 게 익숙하다. 야단은 그림자를 보고 혼내는 것이다.

아이들을 서양으로 유학 보낸 분들에게 서양의 교육이 우리나라의 교육과 다른 점을 물어보면, 많은 분이 거기는 틀려도 혼내지 않는 교육을 한다고 말한다. 왜 그런 답을 했는지 친절하게 물어본다는 것이다. 그리고 그렇게 생각한 것을 수용하고 칭찬해 준다고 한다. 얼마 전 알게 된 한 기업 강사는 외국계 기업 워크숍에 가서 깜짝 놀란 경험을 했다고 한다. 직원들이 무슨 이야기를 해도 박수를 치고 칭찬을 하더란다. 우리나라 조직에서는 정답에 가까운 답에 대해서만 칭찬하고 나머지는 다 차가운 눈으로 무시하는데, 어떤 이야기에도 박수치며 격려하는 모습을 보니 몹시 낯설었다고 한다. 그런 분위기에서 자란 사람은 자신의 의견뿐만 아니라 다른 사람의 의견에 대해 그림자를 보기보다는 빛을 보는 성향을 자연스럽게 몸에 익히게 된다. 그리하여 스트레스를 받는 일이 생겨도 그림자의 손잡이만 잡는 것이 아니라 자연스럽게 이 일의 반대 면인 빛의 손잡이도 잡을 수 있는 사람이 된다.

다른 밝은 면을 보는 것은 우리 사회에서 낯설고 서툴다. 이것은 자연스럽게 만들어지지 않고 의식적이고 의도적으로 내가 노력을 해야 만들어진다. 만들기는 어렵지만 일단 만들기 시작하면 얼마 지나지 않아 익숙해진다. 나 자신에게 '이 일을 다른 각도로 바라볼 수는 없을까'라는 질문을 한번 던지기만 하면 된다. 그러면 나의 머리는 자동적으로 이 일의 다른 면을 생각하게 된다. 안 해서 못하는 것이지, 못해서 안 하는 것이 아니다. 모든 일은 단순해지기 전까지는 어렵다. 방향을 다르게 생각하는 일도 그렇다.

생각의 선택 2. 남아 있는 것을 바라보라

네 번이나 슈퍼맨으로 출연했던 영화배우 크리스토퍼 리브는 타던 말에서 떨어져 전신 마비 장애인이 되었다. 건장한 배우에서 일순간 대소변도 가릴 수 없고 산소호흡기 없이는 숨도 쉴 수 없는 기막힌 상태로 전락하자 그는 절망하여 죽게 해달라고 의사에게 부탁했다. 그를 살린 것은 '당신은 여전히 당신이에요'라는 아내의 말 한마디였다. 아내에게 남편은 비록 옛날 몸이 아니었지만 눈빛과 마음은 여전히 그대로 남아 있는 사랑하는 존재였던 것이다.

우리는 극심한 스트레스를 경험하면 상실한 것에 매달린다. 그리고 죽고 싶은 마음까지 먹는다. 그럴 때 우리를 일으켜 세우는 것은 너무 초라해 눈길조차 주지 않던 남아 있는 것의 가치다. 슈퍼맨의 건장한 몸은 사정없이 무너졌지만 마음만은 온전히 남아 있었

아픔에서 더 배우고 성장한다

다. 막 다쳤을 때에는 마음에 눈길조차 줄 수 없었다. 그러나 어떻게 하겠는가. 다시 회복할 수 없는 몸이라면 남은 것에 눈길을 돌릴 수밖에. 그리고 눈길을 남은 것에 돌리는 순간, 한쪽 세계의 문이 닫히는 동시에 또 다른 세계의 문이 열린다.

온라인 대학교 교수로 있으면서 여러 제자들을 만났다. 그 가운데 한 분은 대기업의 부사장까지 역임했던 분이었다. 그분은 중동에서 일하다 어느 날 쓰러졌다. 눈을 떠보니 병원이었고 평생 휠체어 신세를 져야 하는 중증 장애인이 되어 있었다. 절망하여 죽음까지 생각했지만 가족들 생각에 차마 실행에 옮길 수는 없었다. 시간이 지나면서 장애를 가진 몸으로 할 수 있는 것이 무엇일까를 고민했다. 재활에 매달렸다. 노루처럼 달리던 사람이 하루아침에 달팽이처럼 걷게 되었으니 답답하고 속상한 마음은 이루 말할 수 없었다.

그러던 어느 날 힘들게 목발로 걷다가 노란 들꽃 한 송이를 보았다. 갑자기 눈물이 쏟아졌다. 평생 한 번도 보지 못한 노란 들꽃 한 송이가 눈에 들어오자 지금까지 무엇을 보고 살아왔던가 싶었기 때문이다. 천천히 걸어서 비로소 눈에 보인 것이 들꽃이었다. 다음날부터 그동안 바쁘게 사느라고 보지 못했던 들꽃과 나무와 나비가 보이기 시작했다. 듣지 못했던 아이들 웃음소리, 새소리, 따르릉 자전거 가는 소리가 들리기 시작했다. 느끼지 못했던 바람이 뺨을 스치는 순간을 느끼기 시작했다. 그때부터 사는 것이 행복해졌다. 문득 눈을 들어 주위를 보니 자신처럼 중증 장애를 입어 죽고 싶어 하는 사람들이 눈에 들어왔다. 누구보다 그들의 심정을 잘 알기에 병원으로 가서 자원봉사의 뜻을 전하고 자원봉사의 길을 걸었다. 그러다 더 전문적으로 봉사하는 방법을 알고 싶어 내가 교수로 있던 온라인 대학교 사회복지학과에 신입생으로 입학했다. 그분이 그러했듯 스트레스에 직면했을 때 처음부터 남아 있는 것을 떠올릴 수는 없다. 시간이 필요하다. 하지만 시간이 너무 오래 지나도록 잃어버린 것에만 매달리면 스트레스는 심한 좌절로 전락하고 만다. 스트레스를 스트렝스로 전환시키는 데에는 잃어버린 것이 아니라 남아 있는 것에 얼마나 빨리 마음을 쓰는가가 관건이다.

라디오에서 한 신부님이 아흔이 다 되도록 아파 누워만 계셨던 할머니의 장례식에 수많은 사람이 왔다는 일화를 들려주셨다. 장례식에 온 사람들은 모두 할머니에게 전화로 인생 상담을 받은 분들이었다고 한다. 할머니는 일어설 수 없는 몸이었지만, 머리맡에 전화기를 두고 삶에 힘들어하는 사람들의 마음을 읽어주고 다독여 주며 살 힘을 북돋아 주는 전화 상담을 오래도록 해오셨다. 몸으로 도울 수는 없지만 정신으로 도운 할머니의 이야기는 감동을 준다. 잃어버린 것에 마음을 쓰기 쉬운 세상에서 할머니는 남아 있는 것에 마음을 써 사람들과 세상에 도움이 되는 일에 자신을 바친 것이다.

아픔에서 더 배우고 성장한다

불행이 닥치거나 스트레스를 받을 때 가장 중요하면서도 가장 소홀히 하기 쉬운 대화는 자기 자신과의 대화다. 이때 대화를 잘해야 한다. 스트레스를 받을 때나 삶에 큰 위기가 닥칠 때에는 장애를 입은 대기업 부사장처럼, 누워만 계시던 할머니처럼 지금 내게 남아 있는 것에 마음을 써야 한다. 그리고 나에게 말해주어야 한다. 이제 남아 있는 이것으로 할 수 있는 게 무엇이 있을까 하고. 그것이 스트레스를 감소시키고 스트렝스를 강화하는 좋은 약이 된다. 나아가 다른 사람의 스트레스를 내리는 명약이 되기도 한다.

생각의 선택 3. 패턴을 바라보라

25년 동안 상담을 하면서 가장 크게 느낀 것은 사람은 변하지 않는다는 사실이다. 사람은 정말 변하지 않는다. 아무리 좋게 말해도 거의 변하지 않는다고 말할 수밖에 없다. 타고난 기질도, 살면서 습관이 된 사고방식도, 그런 기질과 사고방식의 결과로 나타난 행동 방식도 바뀌는 것은 거의 불가능에 가깝다. 그래서 상담이 무슨 도움이 될까 고민에 빠질 때가 많았다.

그런데 사람이 바뀌지 않는 이유를 살펴보면서 현재의 기질, 사고방식, 행동 방식으로 큰 어려움을 겪지 않았기 때문이라는 걸 알 수 있었다. 수업 시간에 자주 지각하는 고약한 습관을 가진 사람이 있었는데, 미국으로 이민 간 후 싹 바뀌었다. 1분 1초도 틀리지 않고 정확하게 시간을 지키는 사람이 된 것이다. 이유를 알고 봤더니 단순했다. 미국에서는 일할 때 시간을 안 지키면 바로 해고되었기 때문이다. 죽고 사는 문제가 시간을 지키느냐 지키지 않느냐에 달렸다는 걸 깨닫게 되자 평생 못 고칠 것 같았던 기질, 사고방식, 행동 방식이 한꺼번에 변했다는 것이다. 그걸 보면 사람은 바닥을 쳐야만 바뀐다. 그전에는 당시의 사고방식과 행동 방식으로 견딜 만하고 살 만하니까 바뀔 필요를 전혀 느끼지 못하고 어떻게든 그냥 그냥 살아가는 것이다.

스트레스에 대처하는 방식도 마찬가지다. 사람들은 누구나 스트레스에 대처하는 자신만의 독특하고 특별한 방식이 있다. 어떤 사람은 스트레스를 받자마자 술집으로 달려가고, 어떤 사람은 문을 잠그고 방에서 이불 킥을 하며 괴로워한다. 다음에 다시 스트레스를 받아도 술집에 가던 사람이 이불 킥을 하지는 않으며, 이불 킥을 하던 사람이 술집으로 가지는 않는다. 습관대로, 패턴대로 스트레스를 푸는 것이다. 이런 방법이 별 도움이 되지 않더라도 패턴은 변함없이 반복해서 나타난다.

스트레스를 받을 때 무엇인가 다른 행동을 하려고 한다면 먼저 나의 스트레스 대처 방식을 떠올려보아야 한다. 말이 없어지는지, 말이 많아지는지. 주위 사람에게 전화를 하는지, 모두와 연락을 끊고 잠수를 타는지. 나의 패턴을 제대로 파악할 수 있는 사람은 나 자신밖에 없다. 나의 스트레스 패턴을 파악하는 것이 중요한 이유는 내가 내 패턴의 종이 아니라 주인이 될 수 있기 때문이다.

만약 내가 스트레스를 받을 때 어떻게 생각하고 행동하는지 패턴을 모르고 있다면, 사람이 변하기 어려운 것처럼 나는 이런 패턴을 평생 반복하며 괴로워할 수밖에 없다. 스트레스를 불러오는 사건은 앞으로 남은 인생에서 무수히 반복하여 일어날 것이므로, 나의 대처 패턴이 달라지지 않는다면 똑같은 괴로움을 평생 당하며 살 수밖에 없다.

조금이라도 덜 괴로우려면 나의 패턴을 바꾸는 수밖에 없다. 그러려면 무엇보다 우선적으로 나의 스트레스 대처 방식, 즉 스트레스 발생 시 나의 대응 패턴을 알아내야 한다.

자기가 맡은 일이 급하고 어려워지면 주기적으로 잠수를 타는 후배가 있었다. 프로젝트 성공에 중요한 순간에도 연락이 되지 않았다. '또 잠수를 탔구나.' 며칠 동안 돌아오지 않을 것이란 걸 경험적으로 알고 있는 선배들은 후배가 맡은 역할을 즉시 배분하고 정신없이 해내야 했다. 선배들은 그 후배 때문에 엄청 고생을 했다. 여러 번 그런 일이 반복되자 후배는 당연히 퇴출되었다. 그리고 한국에서 발을 붙이지 못하고 외국으로 나가야 했다. 후배는 능력이 뛰어난 사람이었다. 그러나 스트레스 관리를 제대로 하지 못했다. 회피하는 패턴을 고치지 못했기에 같이 일하는 사람에게 큰 피해를 주었고, 그것이 반복되자 가장 큰 피해를 입은 것은 바로 후배 자신이었다. 만약 후배가 스스로 자기의 스트레스 대응 패턴을 돌아보고 선배에게 고민을 털어놓았다면, 회피가 아니라 직면으로 문제를 풀어가는 과정을 거칠 수 있었을 것이다. 그랬다면 외국으로 도피성 유학을 가서 살지 않아도 됐을 것이다.

누구나 자기가 만든 패턴의 피해자다. 나의 패턴이 최선이었을지는 몰라도 최고는 아니기 때문이다. 그러므로 나의 패턴을 담담하게 바라보아야 한다. 스트레스 전문가들은 스트레스에 대처하는 방식으로 감정 중심의 방식과 생각 중심의 방식이 있다고 한다. 전자는 스트레스가 생기면 '어떡해'를 연발하며 당황하고 힘들어하고 흥분하는 유형이고, 후자는 '어떻게 하는 게 좋을까'를 고민하며 차분하게 해결 방법을 고민하는 유형이다. 그런데 내가 정서 중심 패턴이어야 하는지, 사고 중심 패턴이어야 하는지를 결정하는 것보다 중요한 게 있다. 그것은 내가 어떤 패턴인가를 알아차리는 것이다.

패턴을 알게 된다는 것은 시간의 흐름에 따라 내가 스트레스를 어떻게 처리하는지 그 과정을 알게 되는 것을 말한다. 처음 스트레스를 받으면 나는 당황하고 안절부절못하며, 시간이 지나면 잠을 잘 못 자고 밥도 잘 먹지 못하며, 더 시간이 지나면 어디로 훌쩍 떠난다. 이렇게 나의 패턴을 시간대별로 알게 되면 드디어 나는 나의 스트레스 패턴을 알게 된 것이다. 이것으로 스트레스를 스트렝스로

아픔에서 더 배우고 성장한다

전환시킬 준비는 끝났다. 이제 하나씩 시뮬레이션을 통해 또 다른 선택의 가능성을 탐색하면 된다.

먼저 당황하고 안절부절못하는 것에 대해 다른 선택을 할 수는 없는지 나에게 물어볼 수 있다. 그리고 왜 안절부절못하는지도 물어볼 수 있다. 물음에 대답을 하는 과정에서 나는 언제부터 스트레스를 받으면 당황하고 안절부절못하기 시작했는지를 떠올릴 수 있다. 어린 시절 경험을 회상하면서 '너는 그럴 수밖에 없었어' 하고 위로의 말을 건네고 공감으로 내가 나를 안아줄 수 있다. 그것은 나의 상처를 이해하고 만져주고 치유해 주는 기능을 한다. 그래서 그토록 오랫동안 당황하고 안절부절못했던 것이 어린 시절 상처로 인한 불안의 결과였음을 이해할 수도 있다.

이것은 새로운 스트레스 대응 패턴의 단서가 된다. '앞으로는 스트레스를 받으면 당황하기보다 잠시 멈춰서 가만히 눈을 감아볼 거야' 하고 결심하는 동기가 될 수 있다. 그렇게 스트레스에 대응하는 나의 패턴을 시간대별로 차분히 바라보고 각각의 이유와 효과를 검토하노라면, 이전과 다른 패턴의 필요성을 느낄 수 있고 그렇게 하려는 용기를 낼 수 있다. 이후 이를 조심스럽게 시험해 보는 과정을 거치게 되면, 그토록 변하기 어렵다던 스트레스 대처 방식이 조금씩 변하는 걸 느낄 수 있다. 그리고 그건 나의 변화로 이어질 수 있다. 사람이 변하는 것은 하루아침에 되는 것이 아니다. 이렇게 스트레스에 대처하는 방식을 바꾸는 과정을 통해 서서히 바뀌는 것이다. 나의 스트레스 대응 패턴을 시간대별로 바라보라. 거기에 스트레스를 스트렝스로 바꾸는 구조 해결의 열쇠가 들어 있다.

생각의 선택 4. 풍선을 바라보라

바다에 빠진 사람이 자기 발에 돌을 매달면 어떻게 될까. 더 깊은 바닷속으로 들어갈 것이다. 만약 손에 풍선을 매달면 어떨까. 조금이라도 밖으로 나올 가능성이 높아질 것이다.

스트레스도 마찬가지다. 스트레스를 받으면 자신에게 해롭고 상처 주는 행동을 하여 더 큰 스트레스로 자기를 끌고 들어가는 사람이 있고, 도움이 되고 상처를 아물게 하는 행동을 하여 더 작은 스트레스로 자기를 끌어 올리는 사람이 있다.

얼마 전부터 라디오 생방송 〈힘들 땐 전화해〉에 수요일마다 고정 패널로 출연하여 전화 상담을 해주고 있는데, 한 어머님이 힘겨운 목소리로 전화를 했다. 진행자가 전화를 받자마자 울기 시작했다. 난감한 일이다. 방송을 진행하기가 힘들 만큼 어깨를 들썩이며 우는 것이 수화기 너머로 들려왔다. 어머님은 겨우 눈물을 멈추고 요즘 스트레스 받는 일을 털어놓기 시작했다.

코로나로 일감이 줄어들면서 일하던 사람도 내보내고 혼자 버겁게 인형 봉제 공장 일을 하는 어머님이었다. 고등학교, 중학교, 유

아픔에서 더 배우고 성장한다

치원에 다니는 세 아이의 얼굴 보며 마음의 위로를 얻기는 하는데 돈 걱정, 미래 걱정에 너무 큰 스트레스를 받고 있다고 했다. 목소리에 스트레스에 압도당한 슬픔이 가득 묻어 있었다. 나는 전화로 어머님에게 단도직입적으로 물었다.

"어머님, 누가 바닷물에 빠졌다고 해봐요. 그 사람이 자기 발에 돌을 다는 게 나을까요, 아니면 손에 풍선을 다는 게 나을까요?"

어머님은 "풍선을 다는 게 낫지 않겠어요?" 하고 대답했다. 나는 어머님에게 "맞아요, 어머님. 지금 이 일을 어떻게 할까 하는 생각은 발에 돌을 다는 거고요, 우리 아들 셋 얼굴 보며 웃는 건 풍선 세 개를 손에 다는 거예요" 하고 말해주었다. 그리고 풍선이 세 개보다는 네 개가 낫고, 네 개보다는 열 개가 낫지 않겠느냐고 했다. 어머님은 그럴 것 같다고 수긍했다. 그 후 어머님과 나는 풍선을 찾아나갔다. 짧은 방송 시간이었지만 어머님과 함께 찾은 풍선은 좋아하는 노래 듣기, 동네 한 바퀴 돌며 산책하기, 금방 꽃이 피는 작은 화분 사서 길러보기 등이었다. 어머님은 생각해 보지도 못한 방법을 이야기해 주어 많은 도움이 되었다는 말로 감사를 표하며 웃는 목소리로 전화를 끊었다. 함께한 진행자들도 기분이 좋아져 같이 웃었다.

작은 풍선을 우습게 여겨서는 안 된다. 작은 풍선이 모이면 바다에 빠진 사람을 하늘로 끌어올릴 수 있는 힘이 될 수도 있다. 사람들은 스트레스라는 커다란 바윗돌을 만나면 안 좋은 생각을 하며 자기 발에 무거운 돌을 달아 더 깊이 바닷속으로 들어가려는 본성이 있다. 이럴 때 작은 기쁨이나 즐거움 같은 풍선을 하나라도 손에 매다는 시도를 해보면 새로운 세상이 웃으며 스트레스 받는 사람의 눈앞에 나타난다. 아이 셋을 보면 힘이 난다는 어머님은 아이들과 함께 산책하기나 아이들 더 오래 안아주기 같은 작은 풍선을 더 많이 만들어 손에 매달고 바윗돌처럼 힘든 지금의 스트레스를 조금 더 가볍게 만들 희망을 품게 되었다. 실천하면 놀랍게도 그것이 힘든 것을 이겨내는 지렛대가 될 수 있다. 큰 스트레스에는 작은 기쁨의 풍선들이 아주 좋은 약이 된다.

스트레스를 받을 때 나와 내 마음과 주변을 가만히 살펴보라. 여기저기 숨어 있던 작은 풍선들이 두더지 게임에서 두더지가 고개를 내밀 듯 삐죽 고개를 내민다. 그것을 꼭 단단히 잡아라. 가라앉는 나를 위로 끌어올리는 힘을 줄 것이다. 풍선을 바라보는 것은 스트레스를 감소시키고 스트렝스를 강화하는 좋은 약이 된다.

생각의 선택 5. 매트릭스를 바라보라

'매트릭스matrix'는 키아누 리부스가 주연으로 출연한 유명한 영화의 제목이다. 수학에서 매트릭스는 행렬로 불리며 한 개 이상의 수나 식을 사각형의 배열로 나열한 것을 말한다. 이때 가로줄을 행row,

아픔에서 더 배우고 성장한다

세로줄을 열column이라 부른다.

우리 삶은 매트릭스와 같다. 복잡한 삶을 가로와 세로, 행과 열의 매트릭스로 풀면 간단해지며 본질이 보인다. 이를 보면서 내가 무엇을 해야 할지 의사 결정을 용이하게 할 수 있다. 스트레스를 받을 때에도 매트릭스를 활용하면 훨씬 더 효과적이고 효율적으로 스트레스에 대처할 방법을 알게 된다.

상담을 청한 한 어머님은 총체적 난국이라 표현해도 좋을 만큼 크고 작은 스트레스를 엄청나게 받고 있었다. 휠체어를 탄 장애인으로 살아가는데, 최근 일하는 시청에서 일감이 줄어 수입이 줄었고, 넘어져 손에 골절상을 입었다. 게다가 시어머니는 치매로 10년째 약을 드시며 치료 중이다. 중고등학생인 아이들은 코로나로 학교에 가지 못하고 좁은 집에서 엄마만 바라보며 밥 타령을 한다. 어디서부터 어떻게 손을 대야 할지 몰라 패닉 상태로 방송국에 전화 상담을 요청했다.

이때 매트릭스를 이용하면 어머님의 스트레스에 효과적으로 접근할 수 있다. 매트릭스는 다음과 같이 기준을 잡으면 된다.

	단순	복잡
단기		
장기		

어머님이 지금 혼란스럽고 힘들어하는 이유는 어디서부터 손을 대야 할지 판단 기준을 가지고 있지 못하기 때문이다. 모두 한꺼번에 몰려온 듯한 느낌에 마음이 무너지는 것은 당연하다. 이럴 때 매트릭스를 적용하면 지금 복잡한 일들이 질서 정연하게 자리를 잡게 된다. 어머님의 사연을 매트릭스에 담으면 다음과 같다.

	단순	복잡
단기	골절상	시어머니의 치매
장기	아이들 밥 해주기	나의 장애

어머님에게 물었다.

"어머님, 지금 일이 너무 많이 생기니까 힘드시지요. 무엇부터 해야 할지 막막하실 것 같아요. 그럼 어머님, 단순하고 급한 일부터 하시는 게 좋을까요, 아니면 복잡하고 오래 걸리는 일부터 하시는 게 좋을까요?"

어머님은 "단순하고 급한 일부터요"라고 대답했다. 그래서 매트릭스 안에 있는 내용을 차례로 말씀드렸다.

"어머님, 가장 단순하고 빨리 처리해야 하는 일은 손에 골절을 입은 거예요. 병원에 가서 치료받으면 되는 일이니까요. 이미 치료를 받으셨다니 다행입니다. 덧나지 않게 잘 관리하세요. 다음으로

아픔에서 더 배우고 성장한다

단순한데 조금 오래 걸리는 일은 아이들 밥 차려주는 일이에요. 아이들 협조를 구해야 하니까요. '엄마가 지금 손이 부러져서 한 손만 쓸 수밖에 없구나', '이번에는 라면으로 하자', '국 없이 마른 반찬만 차릴게', '너도 설거지하는 걸 좀 도와줄 수 있겠니?' 하고 아이들에게 상황을 있는 그대로 설명하고 아이들의 협조를 받아 밥 차리거나 돌보는 것을 하시길 바랍니다. 다음으로 복잡하지만 지금 바로 해야 하는 일은 치매에 걸린 시어머니를 돌보는 일이에요. 어쨌든 내 손으로 돌봐드려야 하는 일이니까요. 마지막으로 가장 복잡하고 오래 걸리는 일은 내가 장애인으로 돈을 벌면서 살아가는 일이에요. 평생 걸리는 힘들고 복잡한 일이죠. 이건 조금 뒤로 미루어놓고 두고두고 생각하셔야 합니다. 이제 무슨 일부터 해야 할지 좀 보이세요?"

전화 상담을 청한 어머님은 내가 머릿속에 매트릭스를 그려 정리해 준 이야기에 진정이 되는 것 같았다. 마음이 차분해졌다면서 어디서부터 시작해야 할지 알 것 같다고 했다. 이것이 매트릭스가 가진 힘이다.

한번은 라디오에 비슷한 사연이 도착했다. 사연은 이랬다.

"치매에 걸린 시아버님을 돌보시던 시어머님이 낙상으로 다리 골절상을 입으셨다는 소식을 들은 다음 날, 남편이 지방 지사로 발령이 났습니다. 꼼짝없이 근처에 있는 시댁으로 출퇴근할 처지네요. 취업준비생인 딸은 이제 그만하고 싶다며 울먹이고, 중학생 아들은 방에서 게임만 합니다. 정말 큰 소리로 울고 싶습니다. 일이 손에 잡히지 않고 어수선하고 뒤숭숭한 이 마음을 어떻게 잡아야 할까요?"

이번 사연도 매트릭스를 사용하여 상담을 진행했다.

	단순	복잡
단기	남편의 발령	시어머니의 골절상
장기	시아버지의 치매	취업준비생 딸 게임하는 아들

지금 가장 단순하고 바로 처리해야 할 일은 남편의 발령과 이사 문제다. 이것은 이미 결정 난 일이므로 되돌릴 수 없고 가능한 한 빨리 적응해야 한다. 다음으로 단순하지만 오래 걸릴 일은 시아버지의 치매다. 병원 치료를 꾸준히 받아야 하는데 시어머니가 골절상을 입었으므로 간병인을 써야 할지 남편과 상의하여 결정해야 한다. 다음으로 복잡하지만 바로 해야 할 일은 낙상으로 다친 시어머니의 골절 치료다. 병원도 알아봐야 하고 회복하는 데 이런저런 절차와 돌봄이 필요하다. 마지막으로 딸의 취업 문제와 아들의 게임 문제는 매우 복잡하고 심리적인 관계의 문제가 섞여 있어서 단기간

아픔에서 더 배우고 성장한다

에 해결이 나지 않는다.

따라서 남편의 발령에 따른 후속 조치와 시어머니의 골절 치료를 하면서 나머지 다른 문제를 남편과 함께 상의하여 하나씩 풀어 나가야 한다. 일의 순서를 정하고 나면 혼란과 혼동이 사라지면서 스트레스가 되던 일을 차분하게 하나씩 해결해 나갈 수 있는 마음의 여유가 생기게 된다.

일은 한꺼번에 하려고 하면 하나도 제대로 못 한다. 그러나 한 가지씩 하면 다 할 수 있다. 문제는 사람들이 무엇부터 시작해야 할지 모르고 우왕좌왕한다는 것이다. 매트릭스는 이를 깔끔하게 정리해 주는 유용한 스트레스 관리 도구다.

대개 스트레스를 주는 일은 한 가지만 오지 않는다. 인간관계도 얽히고설켜 복잡한 양상으로 나에게 한꺼번에 몰려온다. 그럴 때 매트릭스를 머릿속에 그려보면 마음이 진정되고 어떤 일부터 풀어 나가야 할지 길이 보이게 된다. 스트레스 해소에 도움이 되는 매트릭스는 단순함의 정도로 열을 나누고, 시급함의 정도로 행을 나누는 것이다. 일은 단순한 것과 복잡한 것으로 크게 나눌 수 있으며, 시간으로 보아 금방 해결할 수 있는 일과 해결에 오랜 시간이 걸리는 일이 있다. 이것만 잘 구분하면, 우리는 스트레스를 빠른 속도로 줄이기 위해 지금 내가 해야 할 일을 금방 알 수 있다. 그리고 하나를 시작하면 마음의 여유가 생겨 우왕좌왕할 때보다 다음 일에 대해 더 다양한 차원에서 깊이 생각할 수 있다. 그러면 실수가 줄어들고 해결할 가능성이 더 높아진다. 복잡하고 오래 걸리는 일도 희미한 안개가 걷히듯 그 과정에서 보다 좋은 해결책을 생각할 수 있다.

매트릭스는 수학에서 나온 개념으로 경영학에서 의사 결정을 할 때 자주 활용하는 기술이지만, 스트레스를 스트렝스로 전환하려고 할 때에도 효과를 볼 수 있는 강력한 도구다. 현명한 사람이라면 언제까지나 스트레스에 갇혀 끙끙거리기보다는 지금 당장 무엇을 해서 스트레스를 줄여나갈 것인가를 생각해야 한다. 매트릭스에 답이 있다. 매트릭스를 활용해 스트레스를 스트렝스로 전환시키다 보면 나에 대한 믿음이 커지고 자존감도 높아지게 될 것이다.

아픔에서 더 배우고 성장한다

선택 넷,
관계를 선택하라

오랫동안 사회과학계에서 스트레스 대처 방식으로 제시한 정설은
스트레스를 받으면 맞서 싸우거나 회피하여 도망가라는 것이었다.
스트레스를 주는 대상이 한번 붙어볼 만하다 싶으면 싸우고, 도저
히 안 되겠다 싶으면 도망가는 것은 상식적으로 생각해도 수긍할
수 있다. 동양 병법의 정석《손자병법》에서도 삼십육계로 줄행랑을
들고 있다. 적이 너무 강하다면 맞서 싸우지 말고 얼른 줄행랑, 줄
도망을 가라는 것이다.

그런데 이러한 스트레스 대처 방식에 대한 기존의 정설은 남자
를 연구 대상으로 했기 때문이라는 주장이 어느 때부터인가 설득

력을 얻기 시작했다. 여자는 싸우거나 도망가는 것 외에 또 다른 선택을 한다는 것이 새로운 주장의 핵심이다. 그것은 바로 주변에 도움을 청하는 행동이다. 위급한 상황에서 '도와주세요, 살려주세요!' 큰 소리로 도움을 청하는 것은 스트레스 상황을 벗어나기 위한 대표적인 행동이다.

그래서 여자는 어려운 일이 생기면 전화를 하거나 친구를 만나 어려움을 나눈다. 그러면서 좋은 방법을 발견하기도 하고, 해결책은 찾지 못하더라도 마음의 위로와 위안을 받아 마음속 스트레스를 해소한다. 남편이 바람을 피웠을 때 친구들에게 전화해서 내가 지금 무슨 일을 당했으며 얼마나 힘든가를 하소연하는 것은 스트레스 상황에서 맞서 싸우거나 도망가지 않고 주위에 도움을 청하는 대표적인 모습이다.

그리고 이러한 도움 요청 행위가 수명도 연장해 주는 것으로 알려져 있다. 남성의 평균 수명이 여성보다 낮은 중요한 이유 가운데 하나는 자신이 경험하는 스트레스나 감정을 나누지 않기 때문이라고 한다. 확실히 남자는 홀로 외롭게 문제를 해결하거나 회피하려고 한다. 얼굴빛이 어둡다며 무슨 일이 있느냐고 아내가 물어올 때, 있는 그대로 사실을 이야기하는 남자보다는 알 것 없다며 말하지 않고 혼자 끙끙 앓는 남자가 더 많다. 그 결과 속에 온갖 병이 생겨 오래 살지 못한다는 것이다.

아픔에서 더 배우고 성장한다

그래서 스트레스를 스트렝스로 만드는 선택 가운데 하나는 관계의 선택이다. 주위에 털어놓을 사람이 있는가, 힘이 되는 사람이 있는가가 스트레스를 악화시키지 않고 새로운 스트렝스로 만드는 데 아주 중요한 요인이 된다.

특히 우리나라는 관계 공화국이라고 불릴 만큼 관계 속에서 태어나 관계 속에서 살다가 관계 속에서 떠나는 사회다. 그런데 홍수에 마실 물이 없다는 속담처럼 막상 내가 힘들고 어려울 때 마음을 터놓고 나눌 사람은 매우 적은 아이러니한 사회다. 힘들 때 마음을 터놓고 나눌 사람이 얼마나 있는가에 대한 조사에서 OECD 국가 가운데 최하위국으로 나온 나라가 우리나라다. 그러다 보니 겉으로 인사를 주고받는 사람이나 SNS로 알고 지내는 사람은 많지만, 정작 어려움을 나누고 스트레스를 받을 때 격의 없이 나눌 수 있는 사람은 어느 나라보다 적은 신기한 나라다. 지금 우리는 얕은 관계에 익숙하고 깊은 관계에 미숙한 삶을 살고 있다. 스트레스를 스트렝스로 전환하기 위해서는 얕은 관계를 깊은 관계로 만드는 선택을 할 필요가 있다. 이제 그러한 선택의 방법을 알아보기로 하자.

관계의 선택 1. 곁지기를 두어라

연예인의 자살 소식을 전하는 기사가 한 번씩 나와 사람들을 놀라게 한다. 악성 댓글이 원인인 경우가 종종 있는데, 이를 사회적 타살이라 규정하고 악성 댓글을 처벌하는 법을 제정하기도 했다. 이런 자살 사건을 보면, 자살한 사람 곁에 그의 마음을 모두 받아주고 이해해 주며 다독여주는 곁지기가 없었을까 하는 생각을 하게 된다.

사람은 복합적인 이유로 자살이라는 극단적인 선택을 하게 되지만, 중요한 이유 가운데 하나는 세상에 아무도 없다는 마음이다. 내 마음을 알아주는 사람, 내 깊은 고통을 알아주는 사람이 단 한 사람도 없다는 마음이다. 곁이 없을 때 사람은 견디지 못하는 존재다. 외로움은 우울을 낳고, 우울은 자살을 낳는 연쇄 고리로 작용한다.

가족이 곁이 될 것 같지만 반드시 그렇지도 않다. 함께 산다는 것이 마음까지 함께한다는 보장을 해주지는 못한다. 한 번 본 적이 없는 사람이 늘 함께 사는 가족보다 더 가까운 사람일 수도 있다. 마음은 눈에 보이지 않기 때문이다. 그러므로 언제나 나를 알아주고 이해해 주는 한 사람이 곁에 있다는 것은 심각하게는 자살에서부터 작게는 스트레스에 이르기까지 든든하고 확실한 치료제가 된다. 그러므로 내가 힘들어지기 전에 예방 차원에서 나의 곁지기를 마련하는 것은 스트레스가 넘치는 우리나라에서 살아가고 있는 우리에게 반드시 필요한 일이다. 그렇다면 어떻게 곁지기를 마련할 수 있을까. 그 방법은 생각보다 간단하다. 내가 먼저 다가서는 것이

아픔에서 더 배우고 성장한다

다. 그게 전부다.

그렇다고 아무에게나 다가설 수는 없을 것이다. 내 주변의 사람이나 우연히 만난 사람 가운데 내 마음이 가고 나와 통할 것 같은 사람이 있게 마련이다. 우선 곁지기 후보로 그 사람을 정하면 된다. 마음이 가지 않는 사람은 탈락이다. 오래갈 수 없기 때문이다. 일단 마음이 통하는 느낌이 있어야 한다. 사람마다 기준이 다르기 때문에 특별히 어떤 유형이라 말할 수 없지만 가장 정확한 기준은 나와 통하는 느낌이 드는 사람이다. 대상이 정해지면 앞서 이야기한 대로 그가 오기를 기다리지 말고 내가 다가서면 된다. 그런데 지금부터가 아주 중요하다. 아무렇게나 다가서면 자칫 곁지기가 아니라 원수가 될 수도 있기 때문이다.

스토커가 대표적인 예다. 스토커의 특징을 잘 생각해 보면 어떻게 다가서야 하는지 답이 금방 나온다. 스토커는 상대에게 묻지도 따지지도 않고 자기 생각대로 밀어붙인다. 상대가 어떤 느낌이나 생각을 가지는지 아무 관심이 없다. 무엇을 좋아하고 싫어하는지도 관심이 없다. 그냥 막무가내로 자기가 내킬 때 밤낮으로 찾아가 사랑을 달라고 요구하는 것이 스토커다. 스토커는 우리에게 잘 다가서는 방법을 반대의 방법으로 알려주는 반면교사다. 그래서 잘 다가서는 법은 안티스토커 방법이다. 상대가 좋아하는 방법으로 다가서는 것이다. 상대가 좋아하는 것을 해주고 싫어하는 것은 절대 하지 않는 것이다. 이것이 스토커와 정반대로 다가서는 방법이다. 철저히 자기중심적인 스토커와 달리, 곁지기에게 다가가려면 자기중심성을 벗어나야 한다. 나의 눈으로 상대가 좋아할 만한 것을 말하고 행동하는 것이 아니라 상대의 눈으로 상대가 좋아하는 것을 찾아내고 그것을 해주어야 한다. 그리고 싫어하는 것도 찾아내어 하지 말아야 한다. 이런 행동을 우리는 '배려'라는 이름으로 부른다. 배려란 상대가 좋아하는 일을 해주고 싫어하는 일을 삼가는 말과 행동을 뜻한다.

사람은 누구나 자기에게 잘해주는 사람에게 호감을 가진다. 그리고 부담스럽지 않은 사람에게 편안함을 느낀다. 좋아하는 걸 해주는 것도 중요하지만 빈도도 그 못지않게 중요하다. 어떤 사람은 자주 만나는 걸 좋아하는 반면, 어떤 사람은 부담스러워한다. 상대가 얼마나 자주 접촉하는 것을 좋아하는지도 알아야 한다.

요약하자면 먼저 나와 마음이 통하는 사람을 찾고, 그가 좋아하는 것을 좋아하는 정도로 해주면서 다가서야 한다. 그리고 이것을 지속해야 한다. 반짝 한 번만 잘해서 좋은 관계가 유지되는 경우는 없다. 오랜 세월 변함없이 내가 편안한 빈도로 만나고 만날 때마다 내가 좋아하는 것을 해주는 사람을 우리는 곁지기로 평생 함께하고 싶어 한다.

나에게는 평생 곁지기 친구가 한 명 있다. 우리는 고등학교 시

아픔에서 더 배우고 성장한다

절부터 서로 호감을 가지고 마음이 맞았다. 지금 서울과 부산에 떨어져 살고 있지만 살다가 힘들고 어려울 때 서로의 곁지기가 되어 스트레스를 스트렝스로 전환시키는 데 일등공신이 되어주고 있다. 상담자인 나와 의사인 내 친구는 서로 내담자와 환자를 제일 소중하게 생각하고 날마다 쉬지 않고 내담자와 환자의 고통을 더 잘 치료할 수 있는 방법을 고민하고 공부한다. 그리고 그것을 전화로, 만남으로, 혹은 SNS로 소통한다. 만날 때면 상대가 좋아하는 음식을 확인하여 가장 맛있게 하는 맛집에서 만나 원하는 시간만큼 즐거운 대화를 나누고 가볍게 헤어진다. 그래서 보아도 또 보고 싶고, 만나도 아무 부담이 없으며, 헤어질 때 소중한 마음이 든다. 누구라 할 것 없이 서로 안부를 묻고, 서울이나 부산에 갈 때면 예의를 갖춰 미리 만날 수 있는지 묻는다. 친하다는 이유로 무례한 부탁을 하거나 대화를 하지 않는다. 친구지만 어렵게 생각하고 서로의 전문성을 존중하며 예우해 준다. 그 결과 40년째 변함없는 곁지기로 우정을 이어가고 있다.

곁지기는 많으면 많을수록 좋을 것 같지만 그렇지 않다. 한 사람이면 충분하다. 그 이유는 곁지기를 만드는 데 너무 크고 많은 에너지가 오랫동안 요구되기 때문이다. 그러다 보니 몇 사람을 곁지기로 두기가 어렵다. 모든 사람의 친구는 누구의 친구도 아니다. 사람마다 한두 사람 자신만의 곁지기를 두고 싶어 한다. 그런데 곁지기는 사람인 만큼 공을 들여야 생긴다. 그리고 꾸준히 관리해야 유지된다. 세상에 공짜가 없지만 특히 곁지기는 공짜가 없다.

곁지기를 만들기는 어렵다. 그러나 한번 만들면 효과는 평생을 간다. 스트레스를 스트렝스로 만드는 최고의 자원을 가지고 있는 것이다. 마음에 드는 사람이 있는가. 그도 나를 마음에 들어 하는가. 곁지기의 후보다. 이제 공을 들이고 시간을 들이고 에너지를 들일 시간이다. 내가 들인 수고보다 백배로 보답해 줄 것이다. 곁지기는 또 다른 나이며 스트레스를 언제나 위로해 주고 스트렝스로 만들어줄 귀한 보약이 기꺼이 되어줄 것이다.

관계의 선택 2. 반려생명을 길러라

비틀즈 멤버인 존 레논의 노래 가사 중 'Love is touch, touch is love'란 구절이 있다. 우리 인간은 접촉을 통해 사랑을 느끼고, 위안을 얻으며, 스트레스에서 벗어나는 존재다. 살과 살이 맞닿는 느낌은 태어나 엄마 품에 안기면서 시작되는 본능적인 위안과 위로의 행동이다. 심지어 내가 내 손을 잡아도 위안을 느끼는 접촉 본능이 우리에게 있다.

사람이 사람에게 다가가 손을 잡고 포옹을 하면 가장 큰 위로와 위안을 받지만 현실적으로 그것은 쉬운 일이 아니다. 상대도 나와 같은 마음으로 다가와야 하기 때문이다. 그런데 여러 가지 이유

아픔에서 더 배우고 성장한다

로 상대는 나에게 무관심하거나 나를 싫어할 수 있다. 그래서 사람은 사람에게 가장 큰 상처를 받는다. 오늘을 살아가는 현대인들은 접촉의 결핍으로 풍요 속의 심리적 허기를 경험하며 산다. 우리는 가장 가까이 가고 싶은 사람들과 살면서도 접촉에 굶주리고 따뜻한 체온에 목말라한다.

그런 허기를 채워줄 대체물로 인간이 발견한 존재가 바로 반려식물과 반려동물이다. 개나 고양이를 기르는 인구가 몇 년 사이에 급증한 것은 이러한 접촉의 허기를 채워줄 대체물로 눈을 돌리고 있다는 증거다. 최근 통계청의 인구 센서스에서도 '집에 반려동물을 기르십니까?'라는 질문이 추가되어 가족의 일원으로 반려동물을 인정하기에 이르렀다.

반려동물은 인간에 비해 까다롭지 않다. 나에게 까다롭고 성가신 질문을 하지 않는다. 그리고 나의 사랑을 의심하지 않는다. 나의 손을 핥고, 내가 아플 때 곁을 떠나지 않으며 나의 얼굴을 핥아준다. 발에 부드럽게 몸을 기대고, 다리 위에서 아무 의심 없이 잠들며, 내 뺨에 코를 비빈다. 따뜻한 체온으로 나의 시린 가슴을 어루만져 준다. 우리는 반려동물을 가슴 가득 껴안고 등을 쓰다듬고 자식인 양 품에 안고 걸어가며 정답게 입을 맞춘다. 반려동물은 사람이 사람에게 충족하지 못한 결핍과 허기를 친밀한 접촉을 통해 끊임없이 해소해 준다. 그러기에 자식보다 낫다는 말까지 나온다.

C: Choose, 그래도 할 수 있는 것을 선택하라

과거 내전이 잦았던 동유럽 국가들에서 끝까지 살아남은 사람들의 공통점을 찾다 보니 반려견을 기르던 사람이라는 것을 발견했다. 이유는 공포의 포탄 속에서 크나큰 스트레스를 받았지만 개를 쓰다듬고 껴안으며 위로받고, 포탄이 멎은 거리를 개를 데리고 산책하며 개에게 사랑을 주는 행위를 하다 보니 살 이유와 살 힘이 생겼기 때문이었다. 그만큼 반려동물은 전쟁에서도 사람에게 살아갈 이유와 힘을 주는 존재였다.

한강 변을 산책하다 보면, 조금 과장해서 산책하는 두 사람 가운데 한 사람 꼴로 반려견을 데리고 있는 모습을 볼 수 있다. 반려견이 보이지 않는 날은 비가 오는 날뿐이다. 다시 해가 뜨면 어디서 나타났는지 온갖 종류의 반려견들이 예쁜 목줄을 든 주인 곁을 이리저리 킁킁거리며 산책을 한다. 강의를 하는 인기 유튜버의 영상 조회 수는 십만을 넘기기 어려운데 개 일상을 담은 영상은 몇십만을 훌쩍 넘긴다. 개와 관련된 여러 TV 프로그램도 인기리에 방송되고 있다. 반려동물은 최근 스트레스를 감소시키는 최고의 존재로 각광받고 있다. 사이좋은 인간의 대리물이자 친밀한 관계의 충족물, 사랑스러운 애인이나 아이의 대역 같은 존재로 자리 잡고 있다.

몇 년 전 유럽에서 생물학 박사 학위를 마치고 돌아온 분에게 이런 이야기를 들은 적이 있다. 유럽에서는 우울증을 앓거나 심한 스트레스로 고통받는 사람에게 원예 치료를 적극적으로 권하고 있다고 한다. 바로 반려식물을 기르는 것이 스트레스 감소의 치유약이라는 것이다. 식물이건 동물이건 반려생명을 기르다 보면 스트레스와 우울감이 줄어드는 이유가 무엇일까. 그것은 인간이 사랑의 존재이기 때문이다. 인간의 두 가지 근본적인 욕구는 사랑을 받고 싶은 욕구와 사랑을 주고 싶은 욕구다. 그 두 가지를 가장 순수한 형태로 주고받을 수 있는 것이 반려생물이다. 따라서 지금 스트레스로 고통받는 일상을 살고 있다면 순수하고 믿을 수 있는 사랑을 주고받는 반려생물을 길러보자. 그 속에서 위안을 받고 사랑을 주다 보면 내 속의 스트레스는 스르르 스트렝스로 변해 있을지도 모른다.

관계의 선택 3. 상담가를 만나라

우리는 착하게 살면 언젠가 반드시 보답을 받을 것이라고 생각한다. 그런데 그건 상대를 잘 만났을 때나 가능한 이야기다. 쓰레기 더미에서는 아무리 정성을 들여 꽃씨를 심어도 꽃이 피어나지 않는다. 말도 통하지 않고 이기적인 사람을 만나면 아무리 착하게 살아도 고통과 스트레스가 사라지지 않는다. 진상은 호구를 알아본다는 말이 있다. 진상을 만나면 호구가 아무리 열심히 살아도 이용만 당할 뿐이다.

그래서 우리가 사람과의 관계에서 스트레스를 받지 않는 방법은 착한 마음으로 열심히 사는 것이 아니라 담담한 마음으로 지혜롭게 사는 것이다. 이것을 몰라 몇십 년을 호구로 사는 사람들이 우리 주위에 많다. 이런 착한 사람들이 살아가며 경험하는 일들은 뒤죽박죽이다. 그것은 실타래가 엉킨 것과 같다. 엉킨 실타래를 풀려고 여기를 당기고 저기를 당기면 실타래는 더 꼬이고 엉켜 나중에는 가위로 싹둑 잘라내고 싶어질 지경이 된다. 어떻게 해도 안 풀리는 실타래를 바라보다 보면 속이 뒤집어진다. 다시 풀려니 엄두가 안 난다. 여기저기 혹시 하고 건드려보다 실타래를 저 멀리 내던져버리며 머리를 파묻고 운다.

착한 사람들이 상담실을 찾아오는 때는 엉킨 실타래를 풀 길이 없어 머리를 파묻고 우는 순간이다. 이때 상담자는 실타래 이야기를 한참 듣고 차분하게 실마리를 찾기 시작한다. 어떤 실타래건 엉킨 실에는 고유한 패턴이 있다. 패턴을 알아내어 엉킨 실타래를 내담자와 가만히 바라보는 작업을 한다. 신기하게 복잡하던 실타래가 자신의 패턴을 알아보는 상담자 앞에 다소곳이 실마리를 보여준다.

황금빛으로 반짝이는 실마리를 찾아내면 상담은 급물살을 탄다. 번개처럼 내담자에게 실마리를 건네준다. 내담자는 깜짝 놀라 실마리를 조심스레 당긴다. 솔솔 사르르 실이 풀리기 시작한다. 상담자는 내담자 어깨를 두드리며 칭찬한다.

"보세요. 당신이 결국 해내기 시작했어요. 실마리를 찾고 싶은

아픔에서 더 배우고 성장한다

간절한 당신의 마음이 저를 찾아내게 했어요. 저를 찾아낸 것은 이미 인생 실마리를 찾은 것이지요. 그래서 지금 당신 눈앞에 있는 엉킨 실타래도 풀 수 있게 된 거예요. 당신 스스로 당신이 살 길을 찾은 거랍니다."

상담자는 가상의 엉킨 실타래를 상상하며 실마리 찾는 원리를 알아내기 위해 날마다 쉬지 않고 연습하고 또 연습하는 사람이다. 꿈에서도 연습하고 길을 가다가도 연습하며, 머릿속에는 늘 실타래와 패턴 파악과 실마리 원리로 가득하다. 시뮬레이션을 통해 마침내 원리가 명료해지면 단순하게 만드는 작업을 한다.

모든 것은 단순해지기 전까지 어렵다. 하지만 단순해지면 이제 모든 것이 일목요연하게 내 앞에 고개를 숙인다. 그리고 실타래를 쉽게 술술 풀기 시작한다. 사람들이 풀기 시작하는 모습을 보면 상담자는 밤낮으로 애쓰느라 방전되었던 에너지가 충전된다. 사실 상담자는 사람들의 복잡한 마음을 단순한 마음으로, 어둡던 얼굴을 환한 얼굴로 만들 소명을 가지고 이 세상에 온 사람이다. 그래서 자신의 노력으로 사람들이 더 크게 웃고 덜 울 때 에너지가 충전되고 행복해진다. 그게 상담자가 사는 삶의 목적이자 이유이기도 하다.

단순한 원리를 인생에 적용하는 연습을 거듭하다 보면 엉킨 실타래를 푸는 것이 익숙해진다. 익숙해지면 모든 것이 쉬워진다. 사람들은 몸이 아프면 의사를 찾아가면서, 마음이 아프고 스트레스를 받으면 혼자 끙끙거리고 상담자를 찾아가지 않는다. 미래에는 상담자가 동네 의사처럼 우리 곁에서 스트레스로 지친 사람들을 위로하고 해결 방법을 안내하는 길잡이가 되어줄 것이다. 나도 상담을 시작한 지 25년이 지났다. 그동안 착한 사람을 수도 없이 만났다. 그들은 착해서 고통과 스트레스를 받는 것이 아니라 관계의 이치와 원리를 몰라서 받고 있었다. 삶의 이치와 원리를 상담을 통해 알고 나면 막혔던 하수도가 터진 듯 고통과 스트레스에서 자유로워질 수 있다.

인생의 모든 영역에는 각기 전문가가 있게 마련이다. 인간관계에서 오는 스트레스에 관한 전문가는 상담가다. 좋은 상담가를 찾아 내 삶에서 일어나는 스트레스의 이유를 함께 찾아보고 해법도 고민해 보자. 그것은 내 삶의 새로운 시각과 지평을 열어줄 좋은 방법이 될 것이다. 스트레스를 나 혼자 감당할 수 없을 때 전문가인 상담가를 찾아나서는 것은 나의 스트레스를 감소시키고 새로운 스트렝스로 만드는 비결이 될 수 있다.

3장.

E: Encourage,
이런 나를
격려하라

자기 격려로
더 멋진 나를 만든다

C 비행기를 타고 긴 시간을 날아 우리의 목적지인 공항에 도착했다. 저 멀리 북적이는 인파 속에서 눈에 띄는 화사한 옷을 입은 현지 가이드가 E라고 적힌 피켓을 들고 우리를 맞는다. 최고급 밴이 우리를 기다린다. 캐리어를 들고 가이드와 가는 길이 나른하고 즐겁다. 맑은 하늘과 뺨을 스치는 기분 좋은 바람에 콧노래가 절로 나온다. 이곳에는 무엇이 기다리고 있을까. 기대에 찬 우리 얼굴을 보며 가이드가 기분 좋게 씨익 웃는다.

"이제 기쁜 일만 가득합니다. 마음껏 즐기시면 됩니다."

가이드의 경쾌하고 즐거운 목소리를 뒤로하고 푹신한 의자에

아픔에서 더 배우고 성장한다

앉아 스르르 잠이 든다.

꿈속에서 지난 세월 내가 나에게 어떻게 했는지를 목격한다. 나에게 가장 모질게 했던 것은 남이 아니라 바로 나였다. 조금만 못하면 크게 나무랐고, 잘해도 누구나 그 정도는 할 수 있다고 깎아내렸다. 빨리 못한다고 조바심을 냈고, 제대로 못한다고 화를 냈다. 다른 사람은 아무 말도 안 했는데 내가 나에게 야단을 쳤다. 그런 세월 동안 내가 얻은 것은 점점 초라해져 가는 나였다. 내가 나를 나무라고 야단치는 세월이 길어질수록 바깥에서 요구하는 일들이 더 부담스러워졌고 더 크게 스트레스를 받았으며 사는 게 더 힘겨워졌다.

덜컹 밴이 흔들리는 소리에 이제는 내 미래를 보여주는 꿈을 꾸기 시작한다. 미래에 내가 나에게 대하는 모습이 환한 햇살처럼 펼쳐진다. 꿈속의 내가 나를 보고 활짝 웃는다. '그래, 좋아. 그대로가 좋아.' 웃는 나를 보고 나도 웃는다. '웬일이야? 나에게 좋은 말을 다 해주고' 하며 따라 웃는다. 조금 못하면 '괜찮아, 그럴 수 있어'라고 말한다. 낯선 내 말에 내가 어리둥절해한다. 머리를 긁적이며 '괜찮은 거구나' 하고 웃는다. 많이 잘하니 폭풍 칭찬을 한다. '그럴 줄 알았어. 역시 너야. 정말 잘했어.' 그 말에 내가 크게 웃는다. 빨리 못해도 천천히 해도 된다고 말해준다. 제대로 못해도 다음에 하면 된다고 말해준다. 처음에 어리둥절하던 나도 새롭게 변한 나에게 적응해서 웃는다. 그리고 눈물을 주르륵 흘리며 고맙다고 말한다.

"자, 드디어 목적지에 도착했습니다."

경쾌한 목소리로 여행 가이드가 나를 깨운다. 햇살 눈부신 바닷가에 도착해 있다. 가이드가 말한다. 이 해변의 이름이 '나조차 해변'이라고. 나조차 나를 사랑하지 않으면 누가 나를 사랑하겠냐는 의미를 담은 이름이라고 설명해 준다. 나는 '그렇구나' 하고 고개를 끄덕인다. 이젠 내가 나를 격려하고 사랑해 주어야겠다고 다짐한다. 나는 매 순간 나로서 최선을 다해 선택하기 때문에 그런 나를 나조차 격려하지 않는다면 누가 나를 위로하고 격려할 것인가. 이제 여행을 마치고 다시 집으로 돌아가면 나를 어떻게 대하며 살아야 할지 '나조차 해변'에서 제대로 알게 되었다.

그런데 나를 격려하는 방법이 무엇인지 막연하다. 한 번도 해보지 않은 일이라 낯설기도 하고 두렵기도 하다. 내 마음을 들여다보았는지 여행 가이드가 살며시 다가와 나에게 말을 건다.

"그 고민 제가 해결해 드려도 될까요?"

고개를 끄덕이는 나를 보며 가이드는 기분 좋게 웃는 얼굴로 안내 멘트를 한다.

"이제부터 제가 자기 격려로 더 멋진 나를 만드는 네 가지 방법을 알려드리겠습니다."

아픔에서 더 배우고 성장한다

격려 하나,
지난날 내가 한 건 다 잘한 것이다

내 나이 서른이 되던 해 겨울, 살아온 날을 돌아보니 후회가 물밀듯이 밀려왔다. 잘한 건 하나도 없는 것 같았다. 순간 나는 내가 나에게 가장 가혹한 검사가 되어 칼질하고 있다는 것을 깨달았다. 갑자기 마음 깊은 곳에서 반발심이 올라왔다. 그건 언제나 숨죽이며 나와 함께 살던 내 마음의 변호사였다. 그는 담담하게 말했다.

"지난날 내가 한 건 다 잘한 거야."

스스로를 나무라던 나에게 또박또박 천천히 말했다. 지난날 내가 한 건 다 잘한 거라고. 한동안 침묵이 흘렀다. 그리고 주르륵 눈물이 뺨 위로 흘렀다. 한참 울었다. 가슴이 따뜻해졌다. 태어나 평생 처음 나에게 받는 큰 위로였다. 30년을 살면서 이 말처럼 나에게 큰 위로와 위안을 준 말이 없었다. 후회로 속상해하던 그때 나는 어렸다. 하지만 그때 나는 최선을 다했다. 내가 아는 한 그것이 최선이었다. 그래서 나는 잘한 것이다. 그때 더 잘할 수는 없었기 때문이다. 이유는 그것밖에 없었다. 그러나 그 이유 하나로 충분했다.

우리는 누구나 자신을 가장 사랑한다. 그래서 가장 미워한다. 미워하는 이유는 그때 하지 말았어야 하는 선택을 했다고 생각하기 때문이다. '그때 그런 선택을 하지 않았어야 했어' 혹은 '그때 그걸 택했어야 했어' 하고 나 자신을 나무라고 탓한다. 그러나 그런 미움과 후회의 기준은 그때가 아니라 지금이다. 만약 그때로 돌아간다고 해도 우리는 그때 그 선택을 할 것이다. 그 당시 내가 가진 생각은 그게 전부였고, 판단할 수 있는 있는 상황은 한정되어 있었다.

우리는 실수하면서 완전해지는 존재이고, 고통을 통해 행복을 찾아가는 존재이다. 인간은 되어가는becoming 존재이지 이미 완성된became 존재가 아니다. 우리는 언제나 불완전하고 부족한 선택을 평생 이어갈 뿐이다. 그러므로 매 순간 우리의 선택은 부정되지 않고 긍정되어야 한다. 우리가 우리를 긍정하지 않는다면 세상 누구도 우리를 긍정하지 않는다. 나의 부족함과 서투름을 내가 너그럽게 품어주고 사랑해 줄 때, 나는 덜 부족하고 덜 서투른 존재로 즐겁게 나아갈 수 있다. 야단은 내가 나에게 치지 않아도 내 가까운 부모형

아픔에서 더 배우고 성장한다

제, 친구, 동료들이 얼마든지 쳐준다. 나까지 나를 부정하고 야단치면 나는 갈 곳이 없다.

상담을 직업으로 하는 나는 상담 초보자들을 만나면 꼭 던지는 질문이 있다. 어떤 상담이 성공한 상담이라고 생각하느냐는 질문이다. 이 질문에 대해 대부분은 상담하러 온 내담자의 문제가 해결된 상담이라고 대답한다. 나는 그렇지 않다고 이야기한다. 그런 상담은 죽을 때까지 몇 번 못 할 수 있기 때문이다. 부족한 상담자가 부족한 내담자를 만나는 일이 상담인데, 그의 문제를 온전히 해결해 줄 수는 없다. 나는 성공한 상담이란 내담자의 문제가 깔끔하게 해결된 상담이 아니라 상담자인 내가 최선을 다한 상담이라고 말한다. 문제 해결에는 실패했지만 내가 온 마음을 다해 최선을 다했다면 그건 성공한 상담이다. 더 이상 어떻게 할 수 없기 때문이다. 그래서 우리 상담자들은 날마다 공부하지 않을 수 없다. 나의 최선이 상대의 최고가 되기 위해서는 나를 매일 업그레이드해 나가야 한다. 그 과정에 최선을 다하는 상담은 성공한 상담이다. 그렇게 상담자가 자신을 지지하고 격려하며 상담해 나갈 때 상담자는 기쁘게 더 나은 상담의 세계로 나아갈 수 있다. 지난날 내가 한 상담은 다 잘한 것이다.

그러므로 지난날 스트레스 받았을 때 벗어나기 위해 최선을 다한 나는 잘한 것이다. 그게 최선이었기 때문이다. 그래서 과거는 내가 잘한 것이고, 미래는 내가 더 잘할 것이다. 이렇게 긍정적으로 나를 지지해 줄 때 내 속의 깊은 나는 나에게 감사하고 감동하며 기쁘게 더 나은 선택을 할 마음을 내게 된다.

아픔에서 더 배우고 성장한다

격려 둘,
나니까 이 정도 한 것이다

스트레스를 스트렝스로 만들어주는 두 번째 자기 격려는 '나니까 이 정도 한 것'이라는 말이다. 더 나쁜 선택을 할 수도 있었다. 그러나 나니까 이 정도에서 그친 것이다. 세상에는 스트레스에 못 이겨 극단적인 선택을 하는 사람도 있고, 다른 사람에게 묻지 마 폭행을 하는 사람도 있다. 적어도 나는 극단으로 가지 않았다는 것만으로도 나에게 후한 점수를 주어야 한다. 나니까 거기까지는 가지 않은 것이다.

지금까지 스트레스에 힘겨워하는 많은 사람을 상담하면서 내담자가 가장 많이 눈물을 흘린 말은 "그간 애쓰셨네요. 선생님이니까

이 정도 하신 겁니다"라는 따뜻한 말 한마디였다. 그리고 그건 사실이었다. 살아온 이야기를 듣다 보면 내가 저런 아버지와 어머니를 만나 저렇게 살았으면 이 사람보다 더 나은 선택을 할 수 있었을까 하고 자문하곤 한다. 그럴 때마다 나는 고개를 가로젓는다. 더 나은 선택을 했을 자신이 없기 때문이다. 모든 사람은 자기 삶의 역경을 스스로 벗어나기 위해 애쓴 역전의 용사들이다. 다만 그 방향을 모르고 원리를 몰라 안개 속을 헤맸을 뿐이다.

지금은 고인이 된 신영복 선생님은 감옥에 있을 때 만기 출소자에게 '이번에 나가면 잘 사세요'라거나 '죄짓지 말고 사세요' 혹은 '착하게 사세요' 같은 틀에 박힌 상투적인 덕담을 할 수 없었다고 한다. 함께 지내면서 출소자의 삶의 맥락을 알게 되었기에, 그런 입에 발린 좋은 말 대신 할 수 있었던 말은 '이번에 나가면 잘 좀 해서 잡히지 말고'라는 말이었다고 한다. 그건 사회 기준의 옳고 그름을 떠나 험난하고 고단한 삶의 조건 속에서 출소자가 선택할 수 있는 것들이 제한되어 있었음을 이해하기에 할 수 있는 이야기였다.

'나니까 이 정도 한 거야'라고 자신에게 말하면 의기양양해지고 교만해질 것 같지만, 반대다. 오히려 나에게 겸손해지고 숙연해진다. 나도 모르게 '정말 더 잘할 수는 없었던 걸까' 하고 자신을 돌아보게 된다. 변화는 거기서 시작된다. 이렇게 되는 이유는 인간의 모든 변화는 고맙고 미안한 마음이 동시에 들 때에만 일어나기 때문이다. 매일 늦게 집에 들어오는 남편에게 일찍 들어오라고 바가지를 긁으면, 남편이 일찍 들어오는 게 아니라 더 어깃장을 놓는 경우가 많다. 어느 아내는 늦게 들어오는 남편에게 꿀물을 타주고 고생 많다고 다독였더니 남편의 귀가가 빨라졌다고 한다. 그런 의도로 타준 꿀물이 아니었는데, 남편의 귀가가 왜 빨라졌을까. 그것은 자신이 잘못했는데도 불구하고 꿀물을 타주는 아내에게 고맙고 미안했기 때문이다. 사람은 상대가 나에게 하는 말과 행동이 고맙고 미안할 때에만 나를 바꿀 마음을 내게 된다.

이것은 남과 나의 관계에서만 통하는 원리가 아니다. 나와 나의 관계에서도 마찬가지다. 내가 나에게 고맙고 미안한 마음이 드는 말이 '나니까 이 정도 한 것'이라는 말이다. 나는 그렇게 너그럽게 말해주는 나에게 고마움을 느끼고, 그 말을 들을 만큼 잘한 것 같지 않아 미안한 마음이 든다. 그리고 앞으로 더 신중하고 현명하게 잘 선택해야겠다고 마음먹는다. 기쁘게 먹은 마음이 오래가지, 마지못해 먹은 마음은 작심삼일에 그치고 만다.

격려 셋,
나는 점점 더 좋아지고 있다

내가 나에게 하는 세 번째 격려는 '나는 점점 더 좋아지고 있다'는 말이다. 고통은 해결되는 것이 아니라 사라진다는 말이 있다. 이 말의 뜻은 그때는 그것이 고민이고 고통이었지만 세상을 보는 시야가 넓어지고 안목이 깊어지면 더 이상 그것은 고민이 아니라는 뜻이다.

어린 시절 구슬치기에 목숨을 걸었던 나를 생각해 보자. 그때는 구슬이 내 삶의 전부였고 구슬을 잃으면 세상이 무너진 듯 분하고 속상했다. 밤에 잠이 오지 않을 만큼 열 받고 스트레스를 받았다. 그런데 지금 생각하면 그건 아무것도 아니다. 그렇게 속상해할 만

아픔에서 더 배우고 성장한다

한 일이 아니기 때문이다. 그때는 고민이었지만 지금은 고민할 가치조차 없는 일이 우리 삶에 가득하다. 나는 점점 더 성숙하고 좋아지고 있기 때문이다. 사람은 하루하루 나아지는 존재다. 그것을 믿고 나를 바라보면 나는 점점 더 좋아지고 있다. 스트레스도 점점 더 잘 다루게 될 것이고 더 좋은 방법을 선택하게 될 것이다.

격려 넷,
나는 무언가 또 배우고 있다

우리에게 스트레스를 안겨주는 일은 예외 없이 우리가 인생에서 배워야 할 가르침을 하나씩 품고 있다. 그것을 배우느냐 배우지 않느냐는 별개의 문제다. 지혜로운 사람은 좋은 일에서도 배우고 안 좋은 일에서도 배운다. 어리석은 사람은 좋은 일은 웃으며 흘려보내고 안 좋은 일은 화내면서 흘려보내 평생 아무것도 배우지 못한다.

나는 갈등이 심한 부부들을 상담하면서 살고 있다. 서른에 부부 상담을 시작하여 10년의 세월이 흘렀을 때 나도 결혼하여 15년을 살았다. 결혼 후 15년간 별 탈 없이 살 수 있었던 것은 10년 동안 갈등이 많은 부부들을 보면서 배운 원리 하나 덕분이었다. 수많은

아픔에서 더 배우고 성장한다

주제로 부부 싸움을 하고 갈등을 일으켜 폭력까지 행사하는 부부들을 보면서 배운 교훈 한 가지는, 부부 가운데 한 사람이라도 이기적인 사람이 있다면 화목하게 살기 어렵다는 것이다. 이기적인 사람은 부부 갈등뿐만 아니라 자녀와의 관계에서도 온갖 어려움을 만들어냈다. 이기적인 사람들을 만나면서 나는 이기적인 사람이란 자기가 원하는 것을 하는 사람이 아니라 자기가 원하는 것을 남에게도 하라고 강요하는 사람이라는 걸 깨달았다. 자기가 원하는 것을 하는 사람은 이기적인 사람이 아니라 자유로운 사람이었다. 이 원리 하나를 깨닫는 데 꼬박 10년의 세월이 걸렸다.

이것을 상담을 통해 수없이 확인하고 나서 결혼한 나는 이기적인 사람이 되지 않기 위해 노력했다. 내가 원하는 것을 아내와 아이에게 강요하지 않았다. 강요하는 대신 상의했다. 그리고 내가 선택하지 않고 아내와 아이에게 선택권을 넘겨주었다. 결과는 놀라웠다. 아내와 아이는 선택권을 남용해 자신들이 원하는 것을 나에게 하도록 강요하지 않았다. 그들도 내가 한 것처럼 나에게 상의를 했다. 그것은 우리 가족을 스트레스에서 비교적 자유로운 가족이 되도록 만들어주었다. 상담을 통해 가장 큰 도움을 받은 것은 나에게 상담 오는 분들이 아니라 그분들을 상담해 주던 나였다. 나는 끊임없이 오는 분들에게 삶의 지혜를 배운다. 그것은 어김없이 내 삶과 내 가족의 삶에 적용되어 스트레스를 줄여주고 스트렝스를 강화해

주고 있다.

삶에서 나에게 일어나는 어떤 일에서도 배우겠다는 마음을 내면, 일어나는 모든 일이 나의 스승이 되어 나에게 다가선다. 좋은 일보다 더 강렬하게 더 많이 배우는 것은 언제나 나에게 스트레스를 주는 일들이다. 스트레스를 받을 때면, 또 무엇을 가르쳐주려고 이런 스트레스가 나에게 올까 하고 혼잣말을 한다. 사실 살다가 스트레스를 받으면 나도 다른 사람과 똑같이 열 받고 짜증이 나고 화가 난다. 하지만 무엇인가 배울 것이 있다고 믿는 마음 덕분에 스트레스는 그리 오래가지 않는다. 그리고 반드시 모든 스트레스에서 귀한 삶의 이치와 원리를 하나씩 배운다. 정말 내가 바라는 것이 무엇인지, 정말 내가 되고 싶어 하는 것이 무엇인지, 정말 내가 무엇을 중요하게 여기는지……. 스트레스를 가만히 들여다보면 스트레스 안의 그 무엇이 초롱초롱한 눈망울로 나를 쳐다보고 있다. 그것을 발견할 때의 심정은 진주를 발견한 사람의 마음처럼 기쁘다.

누가 나에게 스트레스를 스트렝스로 바꾸는 방법을 한 가지만 이야기해 달라고 한다면, 나는 서슴없이 '이 일 덕분에 나는 무언가 배운다'는 마음이라고 말하고 싶다. 내가 가장 크게 도움을 받은 것도 이 생각 하나였다. 나는 '덕분에'라는 말을 습관처럼 쓰며 살아간다. 이 좋은 일 덕분에 무엇인가 또 하나 배웠다. 이 힘든 일 덕분에 무엇인가 또 하나 배웠다. 그런 마음을 갖게 하는 데는 '덕분에'

아픔에서 더 배우고 성장한다

란 말 이상이 없었다. 배우고자 하는 사람에게 세상은 기꺼이 스승이 되어주는 것 같다. 반대로 배울 마음이 없는 사람에게 세상은 냉혹하고 비정한 원망의 대상일 뿐이다.

살면서 누구나 스트레스를 받는다. 스트레스는 인간의 숙명이다. 그런 스트레스를 스트렝스로 만드는 것은 인간의 운명이다. 숙명이 어쩔 수 없이 받아들여야 하는 것이라면, 운명은 내가 주인이되어 바꾸어나갈 수 있는 것이다. 학인學人이 준비되었을 때 스승이 나타나는 법이다. 스트레스는 우리에게 늘 가르쳐줄 준비가 되어 있다. 우리가 학인이 되고자 마음먹는 순간 스트레스는 나의 가장좋은 스승이 되어 스트렝스로 가는 길을 친절하게 알려준다.

스트레스에서 스트렝스로 가는 길에
ACE가 있다

인생은 부조리하다. 모순투성이고 한 치 앞을 알 수 없다. 우리는 끊임없이 내가 원하지 않는 일에 직면한다. 원하지 않는 사람을 만나고, 원하지 않는 말을 들으며, 뜻하지 않는 봉변을 당한다. 어려움은 느닷없이 다가와 오래 머물며 좀처럼 사라지지 않는다. 나쁜 일은 한 가지만 오지 않고 여러 안 좋은 일을 데리고 와 잔잔하던 일상을 휩쓸고 지나간다.

인생은 스트레스의 연속이다. 스트레스는 우리의 인생이 부조리한 이상 피할 수 없는 인간의 숙명이다. 숙명이라는 화살이 우리 머리 뒤에서 날아와 아무리 피하려 애써도 피할 수 없다. 그래서 스트레스를 받지 않으려면 죽는 수밖에 없다. 산다는 것은 숙명으로 다가서는 스트레스와 매일 얼굴을 마주하는 일이다.

그런데 스트레스는 그것을 맞이하는 사람의 시선과 태도에 따라 전혀 다른 모습으로 변모한다. 스트레스가 피할 수 없는 숙명이라면, 스트레스를 바라보고 대응하는 것은 내가 주체가 되어 선택할 수 있는 운명이다. 숙명은 바꿀 수 없지만 운명은 개척할 수 있는 것이 인간이 가진 힘이다. 어떤 사람은 숙명을 더 비참한 운명으로 바꾼다. 반면 어떤 사람은 숙명을 더 나은 운명으로 탈바꿈시킨다. 그의 시선과 태도가 무엇을 선택하느냐에 따라 숙명은 더 못한 운명이나 더 나은 운명으로 변화한다.

25년간 상담 현장에서 스트레스에 밤잠을 설치며 괴로워하는 사람들을 매일 같이 만나면서 숙명을 더 나은 운명으로 만들어가는 사람들의 공통점을 찾아나갔다. 일상에서도 그런 사람들의 공통점을 찾기 시작했다. 그들의 공통점은 'ACE'란 세 글자로 압축할 수 있음을 알게 되었다. 'Accept', 'Choose', 'Encourage'가 그것이었다.

스트레스stress를 스트렝스strength로 전환시키는 사람들은 무엇보다 먼저 현실을 있는 그대로 바라보고 받아들였다. 예외는 없었다. 아무리 마음에 들지 않는 현실이라도 부정하거나 왜곡하지 않고 있는 그대로의 현실을 냉철하고 담담하게 받아들였다. 그것이 바로 A, 'Accept'다. 현실을 왜곡 없이 받아들이기만 해도 스트레스는 절반 가까이 해결되었다. 현실을 받아들이는 대표적인 말은 '할 수 없지 뭐'였다. 내 힘으로 어쩔 수 없는 일을 원망하거나 분노하지 않고 담담하게 받아들이는 자세와 태도는 스트레스와 전쟁을 하려는 격한 마음을 차분하고 평화로운 마음으로 바꾸었다. 스트레스도 그런 마음 앞에서는 다소곳이 자리를 잡고 앉았다.

현실을 받아들인 사람들이 다음 단계로 하는 일은 좋은 선택을 하는 것이었다. 자신의 처지를 고려하여 스트레스의 해소와 해결에 필요한 자원을 차분하게 선택했다. 그런 선택에는 나를 중심으로 하여 내 몸과 마음 그리고 관계의 차원이 포함되었다. 몸의 차원에서 몸 밖의 선택과 몸 안의 선택을 현명하게 했으며, 마음의 차원에서 생각의 선택을 지혜롭게 했다. 그리고 나를 도와줄 자원으로 유용한 관계를 선택하여 충분히 활용했다. 이것이 바로 C, 'Choose'의 과정이다. 이 과정에서 가장 큰 역할을 하는 것은 간접적인 방식인 몸과 관계의 선택이 아니라 스트레스와 직접적으로 관련된 방식인 생각의 선택이었다. 생각이 팔자라는 말이 있듯이 생각이 곧 스트렝스였다. 그것은 스트레스를 바라보고 해석하는 시선이기도 했다.

선택 후에 마지막으로 이 사람들이 행하는 것은 자신에 대한 격려였다. 즉 E, 'Encourage'를 잊지 않았다. 자신을 신뢰하며 사랑하고 있음을 격려를 통해 자신에게 기쁘게 선물했다. '나니까 이 정도 한 거야'라는 한마디 말 속에 자신에 대한 무한한 지지와 신뢰를 듬뿍 담았다. 그리하여 이다음 스트레스에 더 잘 대처할 수 있는 기쁜 마음의 재산을 자신의 마음 은행 통장에 두둑하게 저금해 주었다.

이렇게 스트레스를 A, C, E 단계를 거쳐 스트렝스로 만드는 사람들은 자기 삶의 에이스^{ace}였다. 에이스는 평생 공부하는 학생임을 자처하는 사람이다. 좋은 일에서도 배우고 스트레스에서도 배워 자신의 삶을 윤택하게 만드는 사람이다.

상담을 하면서 아직 나쁜 사람을 만난 적이 없다. 못난 사람을 만난 적도 없다. 모든 사람은 좋은 사람이고 잘난 사람이다. 그런 사람을 좋게도 만들고 못나게도 만드는 것은 늘 삶의 원리와 이치였다. 스트레스를 스트렝스로 만드는 ACE의 원리를 안다면, 조금 더 좋은 사람이 되어 인생을 편안하게 살 수 있을 것이다. 우리 모두 함께 스트레스를 스트렝스로 만들며 인생의 ACE 길을 걸어가는 에이스가 되길 소망한다.

다음 세대에 전하고 싶은 한 가지는 무엇입니까?

다음 세대를 생각하는 인문교양 시리즈 **아우름**

01 손잡지 않고 살아남은 생명은 없다 | 최재천
★ 아침독서신문 청소년 추천도서 ★ 청소년 북토큰 도서 ★ 학교도서관저널 추천도서 ★ 세종도서 교양도서

02 사랑할 시간이 그리 많지 않습니다 | 장영희
★ 세종도서 문학나눔 도서

03 왜 주인공은 모두 길을 떠날까? | 신동흔
★ 세종도서 문학나눔 도서 ★ 책따세 추천도서 ★ 도서문화재단 씨앗 주제도서

04 인연이 모여 인생이 된다 | 주철환

05 배움은 어리석을수록 좋다 | 우치다 타츠루
★ 올해의 청소년 교양도서 ★ 청소년 북토큰 도서

06 내가 행복한 곳으로 가라 | 김이재

07 새로운 생각은 받아들이는 힘에서 온다 | 김용택

08 노력은 외롭지 않아 | 마스다 에이지

09 내가 읽은 책이 곧 나의 우주다 | 장석주
★ 아침독서신문 청소년 추천도서 ★ 세종도서 교양도서

10 산도 인생도 내려가는 것이 더 중요하다 | 엄홍길
★ 아침독서신문 청소년 추천도서

11 나는 매일 감동을 만나고 싶다 | 히사이시 조

12 정의, 나만 지키면 손해 아닌가요? | 김경집
★ 올해의 청소년 교양도서 ★ 학교도서관저널 올해의 책 ★ 아침독서신문 청소년 추천도서 ★ 청소년 북토큰 도서

13 자신만의 하늘을 가져라 | 강판권

14 내 삶의 길을 누구에게 묻는가? | 백승영

15 옛 거울에 나를 비추다 | 공원국

16 세상은 보이지 않는 끈으로 연결되어 있다 | 최원형
★ 세종도서 교양도서 ★ 환경정의 선정 올해의 청소년 환경책 ★ 아침독서신문 청소년 추천도서

17 감정은 언제나 옳다 | 김병수

18 큰 지혜는 어리석은 듯하니 | 김영봉

19 우리는 모두 예술가다 | 한상연
★ 아침독서신문 청소년 추천도서

20 인공지능, 아직 쓰지 않은 이야기 | 고다마 아키히코

21 틀려도 좋지 않은가 | 모리 츠요시

22 고운 마음 꽃이 되고 고운 말은 빛이 되고 | 이해인
★ 아침독서신문 청소년 추천도서 ★ 학교도서관저널 추천도서 ★ 책따세 추천도서

23 좋은 질문이 좋은 인생을 만든다 | 모기 겐이치로

24 헌법, 우리에게 주어진 놀라운 선물 | 조유진
★ 아침독서신문 청소년 추천도서

25 기생충이라고 오해하지 말고 차별하지 말고 | 서민
★ 아침독서신문 청소년 추천도서

26 돈과 인생의 진실 | 혼다 켄

27 진실은 유물에 있다 | 강인욱
★ 아침독서신문 청소년 추천도서

28 인생이 잘 풀리는 철학적 사고술 | 시라토리 하루히코

29 발견이 전부다 | 권덕형

30 세상이 어떻게 보이세요? | 엄정순
★ 아침독서신문 청소년 추천도서

31 상식이 정답은 아니야 | 박현희

32 다르지만 다르지 않습니다 | 류승연
★ 아침독서신문 청소년 추천도서 ★ 학교도서관저널 추천도서

33 잃어버린 지혜, 듣기 | 서정록

34 배우면 나와 세상을 이해하게 됩니다 | 이권우
★ 아침독서신문 청소년 추천도서

35 우리 마음속에는 저마다 숲이 있다 | 황경택
★ 세종도서 교양도서 ★ 아침독서신문 청소년 추천도서

36 우연이 아닌 선택이 미래를 바꾼다 | 류대성

37 글을 쓰면 자신을 발견하게 됩니다 | 박민영
★ 세종도서 교양도서

38 우리는 스스로 빛나는 별이다 | 이광식

39 도시는 만남과 시간으로 태어난다 | 최민아

40 미생물에게 어울려 사는 법을 배운다 | 김응빈
★ 세종도서 교양도서 ★ 아침독서신문 청소년 추천도서

41 좋은 디자인은 내일을 바꾼다 | 김지원

42 창의성이 없는 게 아니라 꺼내지 못하는 것입니다 | 김경일
★ 세종도서 교양도서 ★ 청소년 북토큰 도서

43 시장, 세상을 균형 있게 보는 눈 | 김재수

44 다를수록 좋다 | 김명철

45 창의적 생각의 발견, 글쓰기 | 정희모

46 나 자신부터 돌봐야 합니다 | 최대환

아우름 시리즈는 계속 출간됩니다.

아우름 47

아픔에서 더 배우고
성장한다

1판 1쇄 인쇄 2021년 1월 7일
1판 1쇄 발행 2021년 1월 15일

지은이 이서원
펴낸이 김성구

주간 이동은
책임편집 고혁
콘텐츠사업본부 현미나 송은하 김초록
디자인 이영민
제 작 신태섭
전략마케팅본부 최윤호 나길훈 이서윤 김지원
관 리 노신영

펴낸곳 ㈜샘터사
등 록 2001년 10월 15일 제1-2923호
주 소 서울시 종로구 창경궁로35길 26 2층 (03076)
전 화 02-763-8965(콘텐츠사업본부) 02-763-8966(전략마케팅본부)
팩 스 02-3672-1873 **이메일** book@isamtoh.com **홈페이지** www.isamtoh.com

ISBN 978-89-464-2174-5 04080
ISBN 978-89-464-1885-1 04080(세트)

이 도서의 국립중앙도서관 출판시도서목록(CIP)은 e-CIP 홈페이지
(http://www.nl.go.kr/cip.php)에서 이용하실 수 있습니다. (CIP제어번호: CIP2020054801)

값은 뒤표지에 있습니다.
잘못 만들어진 책은 구입처에서 교환해 드립니다.